晚安故事摩天輪1
108個晚安故事

文 史黛菲‧卡曼麥爾、米雪艾拉‧魯道夫
圖 安娜‧卡瑞娜‧比肯史多克　譯 林珍良

目錄

雅各找到路了！

　　哇，終於放假了！雅各期待這個假期已經很久了，因為他終於可以和朋友在假期裡一起去露營。整個禮拜的時間，他會和朋友去探險、坐在營火前唱歌，這實在是太棒了！

　　露營的營地在湖邊，營地圍欄旁的草地上有羊、有驢子，孩子們可以摸摸牠們。營隊隊長歐力和另一位大哥哥司提凡幫雅各把帳篷搭起來。

　　第三天晚上，營隊有夜遊活動，所有人都要帶著手電筒。夜遊一開始，月光很明亮，大家不需要打開手電筒也能清楚的看到路。過了一會兒，雲遮蓋了月亮，夜色一下子就暗沉下來。就在這個時候，手電筒的燈光開始一閃一閃，忽明忽暗。

　　「糟了，我忘了換電池！」歐力生氣的說。「那我們最好往回走吧！」司提凡說。過了沒多久，手電筒就完全沒電了。

　　大家在黑夜裡跌跌撞撞往前走，有幾個孩子害怕的手牽著手。「歐力，你確定我們走的路是對的嗎？」司提凡小聲的問。他故意壓低聲音問歐力，免得孩子們聽見了心裡更害怕。但是，雅各還是聽到了。

　　一定得想個辦法找到回營地的路！雅各把耳朵豎起來仔細聆聽，突然間，他聽到一個很輕的聲音「咿啊」。雅各興奮的大喊：「我們的正前方有驢子的叫聲！」司提凡感激的拍了拍雅各的肩膀：「做得好，雅各！現在我們知道該往哪個方向走了。」幾分鐘之後，他們真的回到了營地。

　　回到營地後，大家圍在營火旁，喝著熱可可，吃著小香腸。剛剛差點迷路的緊張心情，現在終於可以放鬆一下了。當然，雅各是大家的英雄！休息一會兒後，大家都睡進自己舒服的睡袋裡。

　　好了，現在你也滑進自己的被窩吧。晚安！

小老鼠搬家

　　山姆受夠了住在城市裡。雖然住在城市，人們丟棄的食物足夠餵飽一隻老鼠，但是對山姆來說，城市實在太吵了！

　　「我要搬到森林去！」山姆決定了。

　　很快的，他找到一個山洞，並且把裡面布置得很舒服。在森林裡，他聆聽小鳥吱吱喳喳，蟋蟀唧唧唧唧的叫聲。「今天晚上我可以睡個好覺了。」山姆想。

　　但是，他的眼睛都還沒閉上，就聽到讓人受不了的嘎啦嘎啦聲。他已經特地搬到森林來了，沒想到這裡的噪音還是和城市裡一樣多。山姆衝到外面看，天哪！就在他的門前，有一個纏著鐵鏈的小精靈正在半空中飛來飛去。

　　「停止！」山姆生氣的大吼，小精靈嚇了一跳：「我也不想這樣啊，我也受不了這個嘎啦嘎啦的聲音。」「那你就停止啊！」山姆咒罵著說。「沒辦法啊，」小精靈抱怨著：「我把鐵鏈的鑰匙搞丟了，沒辦法把鐵鏈鬆開。」

　　「如果我幫你找到鑰匙，你可以保證讓我安靜的睡覺嗎？」山姆問。「我以我的『精靈格』發誓！」小精靈堅定的對山姆保證。於是山姆開始找鑰匙，他仔細的找，任何一個樹的縫隙、落葉堆底下都不放過。終於，他在一個小洞裡找到了鑰匙。

　　小精靈用鑰匙打開鐵鏈，然後把鐵鏈甩得遠遠的。「喔耶，我自由了！」小精靈大喊。山姆打著哈欠說：「別忘了你的諾言！晚安。」

　　「晚安！」小精靈輕聲的說。

　　現在，安靜的睡個好覺吧，我的小老鼠。

蘿拉公主

　　蘿拉公主和國王、皇后住在皇宮裡。她的房間裡有所有女孩子夢想的玩具：娃娃城堡、超大的玩具店、超級多的絨毛玩偶，還有……好多好多。

　　可是，蘿拉沒有朋友可以和她一起分享那些漂亮的玩具。蘿拉常常從窗戶往外看，她很羨慕那些村子裡的孩子，他們騎著腳踏車，追來追去，玩得好高興。

　　有一天，蘿拉跑到國王、皇后那兒，大聲喊著：「我要拿我全部的玩具交換一輛腳踏車，這樣我就可以和那些小孩一起玩了！」「很抱歉，不行。」國王和皇后回答她，因為他們怕蘿拉在騎腳踏車的時候會受傷。

　　蘿拉傷心的回到房間。突然間，有一個小仙女站在她面前，問：「你真的想用全部的玩具交換一輛腳踏車嗎？」蘿拉點點頭。小仙女開始唸著一串密語。接著，蘿拉的玩具全部都升到了半空中，然後慢慢的，一個接一個從窗戶飛出去，飛到村裡的孩子們那兒去。

　　蘿拉看到村裡的孩子開心的玩著她的玩具，她也和他們一樣高興。一個孩子看見了蘿拉，熱情的向她招手。蘿拉立刻衝向他們，那些孩子都在等著她！

　　他們借給蘿拉一輛腳踏車，並且教她怎麼騎。才一會兒的時間，蘿拉已經和孩子們開始比賽騎腳踏車。國王和皇后這才發現，其實他們根本不用擔心蘿拉騎車會受傷。他們也同意讓蘿拉和村子裡的孩子們一塊兒玩了。

　　晚上，蘿拉公主躺在床上，她發現，她從來沒有這麼累過。1、2、3，蘿拉睡著了，而且，她從來沒有像現在一樣感到如此的幸福。

　　好了，現在你也幸福的入睡吧！

想嚇人的小精靈

從前，有一個小精靈住在精靈森林，他一直想找機會嚇唬嚇唬人。森林裡偶爾會出現一些採香菇的人，但是，根本不會有人半夜去森林。所以，小精靈決定搬到城市裡去。

小精靈準備出發。這時候，城堡塔上的鐘敲了十二下，是半夜了，現在是精靈開始工作的時間。

小精靈來到一個大城市，這裡到處都點著燈，完全沒有神祕感，看起來一點都不恐怖。小精靈沿著一排排明亮的房子飛過去，非常失望。

飛著飛著，他找到一個黑漆漆的屋子，窗戶是開著的。小精靈從窗戶擠進屋子裡，房間裡有個小男孩睡在床上，手裡抱著一隻泰迪熊。小精靈高興得歡呼起來，他開始發出恐怖的聲音，想嚇嚇這個小男孩。「嗚——呼——嗚——呼——嘿嘿嘿——」小精靈在床前飛來飛去，發出各種可怕的聲音。

可是，小男孩一點都沒有被嚇到。他呼開眼睛，對著小精靈笑了笑：「你好，請問你是誰？」小男孩問。「我是小精靈啊！」小精靈用最低沉的聲音回答。但是，這招一點都不管用。小男孩坐了起來，往床邊移了一下，「你一點都不累嗎？」他打著哈欠說。小男孩邀請小精靈跟他還有他的泰迪熊一起睡覺。

小精靈可從來沒想過會發生這樣的事！接下來該怎麼辦呢？小精靈本來準備大鬧一場的，不過，他剛才飛太久，實在有點累了。他看見小男孩床上空出來的位子，真是太吸引人了。小精靈決定改變計畫，他爬進棉被裡，和小男孩還有泰迪熊一起呼呼大睡，直到早上。

你的泰迪熊也在打呼嗎？今天晚上可要好好的聽聽看唷！晚安。

月亮上的小老鼠

從前，有一隻小老鼠皮帕在湖邊發現一艘太空船，這是一個小男孩留下來的，小皮帕住進了裡頭。

在一個很黑的晚上，突然天搖地動，這可把小老鼠嚇壞了。他發著抖從太空船探出頭來，卻看到一個小仙女站在那兒。

「因為天太黑，我看不清楚路，所以不小心絆到你的房子了。」小仙女解釋：「今天晚上我還要把夢帶給好多小孩。假如有誰可以請月亮先生把燈打開，那該有多好！」小皮帕聽了，想到一個好辦法，「你在這裡等，我飛上去一下。」小老鼠戴上頭盔，咻一聲，坐上他的太空船，飛走了。

小老鼠很快就登上了月亮。月亮上到處黑漆漆，小皮帕剛剛降落的時候，太空船還有些搖搖晃晃。當小皮帕走出艙門的時候，月亮先生就站在他面前。他很友善的請小皮帕喝月亮茶、吃月亮餅乾。小皮帕告訴月亮先生，地球上一片漆黑，小仙女沒辦法把夢帶給睡著的孩子們。小皮帕拜託月亮先生，可不可以把月光打開。

「唉呀，我今天完全忘記開燈這件事了！太好了，謝謝你提醒我。」月亮先生叫了起來，然後馬上按下一個金色按鈕。一開始先有「呲！呲！」的聲音，接著出現一閃一閃的亮光。然後，一個銀色的光點亮了起來，而且越來越亮、越來越亮，最後，整個月亮都亮起來了！

小皮帕很誠心的向月亮先生說了謝謝，然後飛回地球。小仙女已經在地球上等著小皮帕，她用力親了小皮帕一下，就繼續飛翔，把夢帶給孩子們。

說不定，小仙女也會把夢帶給你，誰知道呢？所以，快快閉上眼睛，讓小仙女也帶給你一個好夢吧！

膽小的小精靈

有一天晚上，小精靈覺得很無聊。唉！所有人都睡著了，沒有人可以嚇唬，這樣子，當精靈還有什麼意思呢？連他的朋友莉娜都睡著了！「好，今天我要到森林去試試我的運氣！」小精靈想，然後就立刻飛往森林去了。

「嗚呼——嗚呼——」小精靈在樹林間飛來飛去，想用低沉的叫聲來嚇人。他的聲音聽起來很恐怖，小精靈真的覺得自己嚇人的本領很厲害。不過，森林裡沒有任何一隻動物被他的聲音嚇著，相反的，小松鼠在他們的窩裡睡得很香甜。小老鼠繼續忙碌的找著食物，小兔子在月光下玩耍，只有貓頭鷹睜大了眼睛，想看看小精靈到底想要做什麼。

當小精靈正準備發出更恐怖的聲音時，貓頭鷹大叫：「咻——咻呼！」

小精靈嚇得瞪大了眼睛，倒吸了一口氣。然後，他以最快的速度飛離森林。他發著抖飛到莉娜家，因為實在是被嚇壞了，所以小精靈根本忘了該怎麼穿過上了鎖的門，或穿牆進到房子裡去。小精靈已經累得沒力氣再飛了，他得找莉娜幫忙。

他拿起一些小石頭，往莉娜的窗戶丟。幸好，莉娜聽得見這麼小的聲音，她往外一看，「拜託，把鑰匙丟下來給我。」小精靈叫著說。莉娜把鑰匙丟給小精靈。小精靈唉聲嘆氣，用鑰匙把門打開，爬上樓去。

小精靈把剛才在黑漆漆森林裡聽到的聲音模仿給莉娜聽，莉娜笑了，因為她知道這個可怕的聲音是誰發出來的。莉娜給小精靈一個睡前的香吻，小精靈躺進玩具床，沒多久，他們兩個就呼聲連連了，呼——呼——

你也睡著了吧？

莫戈利落水了！

哇，放假了！這個假期雅尼克要和爸爸媽媽一起去湖邊露營，他的小熊莫戈利當然也要跟著去嘍。

搭好帳篷之後，他們租了一艘船，準備划到對岸的農場去玩，那裡有一隻老驢子。當然，小熊莫戈利也要跟著。

爸爸負責划船，當船快划到對岸的時候，雅尼克也想試試動手划船。雅尼克划右邊的槳，爸爸划左邊的槳，他們一邊喊著「嘿呦！嘿呦！」，一邊用力的划。

當船要靠岸的時候，他們突然發現，莫戈利不見了！莫戈利很可能是在雅尼克坐到爸爸旁邊的時候，被撞進湖裡了。雅尼克哭了，大家都安慰他，但他不想聽，因為他的莫戈利一直以來都是跟他在一起，從來不分開的。

過了一會兒，雅尼克的媽媽提議大家去散散步，也看看那隻正在吃東西的老驢子。農夫餵飽了驢子後，就去湖裡提了幾桶水，把水倒在驢子面前的大水槽裡。

當農夫把水倒出來的時候，桶子裡好像有個什麼東西掉了出來……「我的泰迪熊！」雅尼克大叫，然後飛快的越過籬笆跑過去。這時候，老驢子也跑到籬笆邊，像狗一樣的用嘴叼著溼淋淋的莫戈利，把它叼給了雅尼克。老驢子用蹄磨了一下地，然後發出「咿啊」的聲音。

農夫笑著走到籬笆旁，「牠叫汪達，不久之前，牠還在一個馬戲團裡表演。現在，牠在我們這裡養老。看來，牠還沒忘記牠會的功夫呢！」

雅尼克把莫戈利緊緊抱在胸前，一點也不在乎莫戈利已經全身溼透了。即使在晚上，雅尼克睡覺夢到老驢子汪達和牠的馬戲團時，他也不會再鬆開他的莫戈利了。

多好啊，你的小熊是乾的。好好抱緊它，祝你有個好夢！

派屈克肚子餓

　　派屈克是全世界最懶也最胖的老鼠。他最喜歡窩在他的老鼠洞裡打瞌睡。有一天，他發現存放在家裡的食物全都吃光了，連一點餅乾屑也沒有。他嚇了一跳，因為這代表：如果他不想餓扁的話，就一定得出門尋找新的食物。不過，他實在一點都不想動！

　　就在他唉聲嘆氣的時候，突然出現一個小仙女。她想幫派屈克改掉他的壞習慣，所以，她得要騙他一下。小仙女戴上頭盔，穿上運動鞋和運動褲。「我知道哪裡有全世界最好吃的東西，」小仙女想吸引派屈克，「但是我沒辦法自己搬，來吧，跟我一起去！」她笑著說，便騎上一輛可愛的腳踏車。

　　因為派屈克的肚子已經餓得咕嚕咕嚕叫了，所以，他立刻跟上小仙女。哇！這可不是容易的事，派屈克氣喘噓噓的像個蒸氣火車頭，他的腿也好痠。不過，慢慢的，他開始覺得跑步很好玩，他越跑越快、越跑越快，很快的，他一點都不覺得累了。

　　派屈克跟著小仙女穿過森林、越過草原、沿著小路跑，突然，他們又跑回了老鼠洞。派屈克很驚喜，因為洞口有一座水果山。小仙女高興的說：「這是給你的獎品，因為你剛剛實在跑得太棒了。」「我也跑得很高興。」派屈克認真的說，他保證，以後他會自己找食物。派屈克興奮的吃吃這個、吃吃那個，過不久，他就吃飽了。他累得閉上眼睛，因為剛剛真的跑了不少路呢！

　　小仙女微微笑，跳上她的腳踏車，騎走了。因為施展了一些魔法，小仙女也覺得有點累了，她需要打個盹兒，休息一下。

　　你今天也有跑跑跳跳嗎？那你也可以得到睡覺的獎勵呢！

　　晚安嘍，我的小老鼠。

銀鑰匙墜子

　　喔耶！太讓人興奮了，茱莉亞阿姨明天就要結婚了。莉羅要當小花童，在教堂的時候，她要走在新娘的前面。婚禮在一座城堡裡舉行，媽媽特別幫莉羅買了一件非常漂亮的洋裝，把莉羅打扮得像小仙女一樣。

　　除了小仙女衣服，莉羅還要戴上她最心愛的項鍊，鍊子上有一個小小的銀鑰匙墜子。

　　就在莉羅戴上項鍊的時候，小墜子突然從鍊子上滑了下去，掉到地上，不見了。

　　莉羅好難過，她找遍了整個房間，都找不到那把銀鑰匙，她坐在地上哭了起來。這時候，莉羅看到櫃子旁有一個小洞，心想，銀鑰匙有可能就是掉進這個洞裡。

　　她往黑黑的洞裡一看，裡面真的有一閃一閃的東西，「是銀鑰匙！」莉羅想，該怎麼把銀鑰匙從洞裡拿出來呢？她的手指太短，用尺又太長了，鉛筆太細，蒼蠅拍也太扁了。她試了所有她能想到的方法，都沒辦法把銀鑰匙從洞裡撈出來。

　　這時候，突然有一隻小倉鼠從洞裡伸出鼻子，嗅了嗅洞口外的味道，然後又消失了。過了一會兒，小倉鼠嘴裡咬著那把小鑰匙，從洞裡爬出來，把小鑰匙放在莉羅面前。

　　莉羅開心的拿起她的銀鑰匙小墜子。她想好好答謝小倉鼠，於是問小倉鼠有什麼願望。這隻小倉鼠的肚子總是餓得咕嚕咕嚕叫，牠對著莉羅眨眨牠圓圓的黑眼睛，吱吱啾啾的叫著。莉羅終於聽懂小倉鼠說的是：「乳酪！」

　　莉羅小心的把小倉鼠放在手上，然後很快的把牠帶到廚房。當莉羅打開冰箱，小倉鼠看著冰箱裡一堆一堆的食物覺得好驚訝！

　　就在這個美食天堂的正中間，放著一塊大乳酪。哇，好大喔！小倉鼠做夢也沒有想到會有這麼大塊的乳酪。

莉羅笑著把乳酪放在地上，「這整塊乳酪都是給你的，因為你幫了我一個大忙呢！」她一邊說，一邊把乳酪移到小倉鼠面前。小倉鼠立刻開心的鑽進乳酪裡，只露出一截小小的尾巴，莉羅聽見小倉鼠吃東西發出的吱吱吱聲。

　　假如你仔細聽，也會聽到小倉鼠吃東西吱吱吱的聲音！不過，你最好安靜下來，閉上眼睛，才能聽得見，噓！

逃家的小男孩

現在是半夜了，月亮高高掛在天上，月光照在湖面上。

「現在是小精靈時間嘍！」小精靈想在這美麗的月光下游個泳。湖中間有一艘船，船上坐著一個小男孩，正使勁的划槳。小精靈飛過去，靠近船，坐在小男孩旁邊，「你怎麼了？」小精靈友善的問。

「我要划船到美國去！」小男孩很固執的說，「爸爸媽媽最討厭了！他們去看電影，卻把我一個人留在家裡。」「如果是我，我倒喜歡待在家裡，」小精靈的想法剛好相反。「你看，我得到處去嚇唬人，我多希望有一個又舒服又溫暖的床，還有爸爸媽媽幫我唸睡前故事。」小男孩想了想小精靈說的話，嗯，其實他的生活就和小精靈希望的一樣。

小男孩突然覺得累了，他好想趕快回家。「我想到一個辦法，」小精靈說，「我幫你把船拉到岸邊，然後用精靈才會的祕密方法送你回家，這樣，就沒有人會發現你剛剛逃家了。不過，我可不可以在你的床上舒服的躺上一會兒呢？」這個主意聽起來好極了，小男孩點點頭。「那就走吧！」小精靈說。他把船拉到岸邊，然後，帶著小男孩一起飛到空中，把這個逃家男孩帶回他的床上。

小精靈和小男孩一起躺在枕頭上，小男孩跟小精靈說了一個長長的故事。當小男孩把故事說完的時候，小精靈說：「這個故事實在是太棒了！」小男孩點著頭，睡著了。

祝你也有個好夢，也許會有一個可愛的小精靈躺在你旁邊的枕頭上，保護你平平安安的睡覺。

壞心的巫婆

多年以前，奧蘭多王子騎著他的驢子到森林去。他在森林裡遇見了愛莉娜，還有愛莉娜的朋友泰拉。愛莉娜長得可愛又美麗，王子立刻就喜歡上她，愛莉娜也很喜歡王子，於是兩人便結婚了。

愛莉娜現在是王妃了。不過，王子和愛莉娜並不知道，泰拉其實是一個巫婆，她也很想當王妃。

後來，愛莉娜和奧蘭多生了一個兒子，名叫卡爾。泰拉想報復愛莉娜，當她去看小王子卡爾的時候，她彎下身，靠近嬰兒床，偷偷拿出一個有魔力的小鑰匙，綁在小卡爾的手腕上。她對著愛莉娜說：「你的兒子會受到詛咒！」就在這個時候，卡爾突然消失了，泰拉也不懷好意的笑著離開了。

愛莉娜和奧蘭多到處尋找他們的小寶貝，但是都找不到。突然間，有一隻小老鼠跑到愛莉娜面前，愛莉娜嚇得跳上椅子，站在椅子上大聲尖叫，她要僕人趕快把老鼠捉起來！但是，這隻小老鼠靈活得很，一下子就跑走了。

第二天早上，愛莉娜起床的時候，小老鼠就坐在她床邊的小桌子上，小聲的發出拜託的聲音。愛莉娜當然又尖叫起來，不過，她突然注意到，小老鼠的前腳上戴著一把小鑰匙。她有點害怕的把手伸出來，鼓起勇氣把小老鼠腳上的小鑰匙取下來。

突然，小老鼠開始變大、變大、變大！過了一會兒，愛莉娜懷裡抱的是從小老鼠變回來的小王子。

泰拉做夢都沒想到，愛莉娜竟然能克服心中對老鼠的恐懼。當泰拉聽到小老鼠又變成原來的小王子，她生氣極了，氣到把自己爆炸成千千萬萬個碎片。

現在沒有壞心的巫婆了，你可以安心的睡覺嘍。

雷歐妮與小精靈

　　所有的孩子都有自己的泰迪熊嗎？當然不是，雷歐妮就沒有泰迪熊。可是，她有一隻專屬的小精靈，是真的小精靈，而且，只有雷歐妮才看得到。

　　小精靈名叫利努斯。有一天下午，他突然出現，叫著說：「唷呼，我在這裡！」因為雷歐妮一點都不怕精靈，所以她很快就跟利努斯變成好朋友。有個小精靈當朋友真是件不錯的事，因為他永遠有空，而且像氣球一樣，在房間裡飄來飄去。當你覺得難過的時候，他會聽你說；當你生氣的時候，他會逗你笑，逗到你消氣為止。他隨時都陪在你身邊。

　　有一天，雷歐妮要去湖邊學游泳，但她實在很怕水。她站在岸邊，不管媽媽怎麼說，她都不敢下水。湖裡真是又冷又溼答答的。

　　突然間，她看見一個白色的東西從空中飛過來，「利努斯來嘍！呼，呼，雷歐妮！」利努斯叫著，在空中轉了一個大圈。「你看！」利努斯一下子就飛進了水中。「呼，呼，嘟呼！」他高興的叫著說，「這真是太好玩了！」雷歐妮很小心的把腳姆指伸進水裡。「快來呀！」小精靈一邊叫著雷歐妮，一邊興奮的玩著水。看著小精靈玩得這麼開心，雷歐妮也高興的笑了起來，完全忘了自己有多怕水。雷歐妮深深吸了一口氣，跳進水裡，然後像小青蛙一樣的划了幾下。哇，一點都不難耶！沒錯，真的很好玩！

　　媽媽看不到也聽不見利努斯的聲音，心裡覺得很奇怪，為什麼雷歐妮這麼快就學會游泳了。雷歐妮很得意的跟在小精靈後面游來游去。

　　到了晚上，雷歐妮和小精靈坐在窗臺上，一起快樂的看著前方的小湖。游泳還真花力氣呢！雷歐妮打著哈欠，累得睡著了。利努斯小心翼翼的把雷歐妮抱回她的小床上，「晚安！」利努斯小聲的說，然後輕輕拉開櫃子的抽屜，回到他的小窩，自己也打了一個大哈欠。

　　嗯，你也打哈欠了嗎？……你，睡著了嗎？

小驢子弗拉西在哪裡？

　　拉斯住在一個大城堡裡。他的爸爸是馬廄的管理員，專門負責照顧馬兒。在馬廄裡，還住了一隻小驢子弗拉西，拉斯負責照顧牠。拉斯和小驢子弗拉西是好朋友，只要一有空，他們兩個就膩在一起。

　　有一天晚上，拉斯走進馬廄，嚇了一大跳，因為弗拉西不見了！拉斯到處問人，但沒有人看到小驢子。

　　拉斯看到大城門是開著的，他立刻跑到城堡外面，左看右看。他發現，溼溼的泥地上有弗拉西的蹄印。他跟著蹄印往前走，一直走到河邊，蹄印在那兒消失了，可是，還是不見弗拉西的蹤影。

　　天很黑，月亮高高的掛在天上。「親愛的月亮，」拉斯嘆口氣說，「假如我知道弗拉西現在在哪兒就好了。」月亮很同情拉斯，他用銀色的月光照在草原上、水果園和小河上，幫拉斯一起找弗拉西。終於，月亮發現弗拉西了——小驢子弗拉西害怕的站在黑黑的草地上，一步都不敢動。

　　月亮往拉弗西的腳前灑下一道銀光，照亮牠前面的路。小驢子高興的跟著月光往前跑。

　　過了一會兒，弗拉西來到小河旁，看到拉斯坐在岸邊。「咿呀！咿呀！」小驢子嘶啞的叫著。本來已經放棄希望的拉斯驚喜得跳了起來，他把手圈在弗拉西的脖子上，輕輕的撫摸牠。然後，拉斯跳到弗拉西的背上，一起高興的回到溫暖的馬廄。晚上，拉斯就留在馬廄陪他的好朋友，他們兩個睡得很香甜，一直睡到第二天早上。

　　現在，你也睡在你舒服的小床上嘍，也要香香甜甜的睡到明天早上喔！

迷你小精靈

　　小老鼠又睡不著覺了。月亮高掛在天空，銀色月光灑在湖面上，四周都很安靜。小老鼠溜下床，拿起他的枴杖，想到外面夜遊。突然，小老鼠嚇得停下腳步，因為他前面出現一個閃閃爍爍、灰色、半透明的東西。這個東西跳來跳去，看起來好像是一張小衛生紙，飄在半空中，忽上忽下。

　　小老鼠鼓起勇氣，往前靠近一步，對這個小東西說：「你好，請問你是誰啊？」「我是一個小精靈，」這個小東西自我介紹：「我是一個非常可怕的小精靈！」

　　小老鼠靠近這個小東西，笑了笑，因為他看起來一點都不可怕，甚至月光都可以穿透他！「不要笑，」小精靈噘起嘴說：「等我長大，一定會讓大家嚇得尖叫逃走！咘！咘！咘！」其實，這種叫聲應該會很恐怖的，但是由迷你小精靈發出來卻一點也不可怕。「那你還得多多練習，」小老鼠笑著說：「而且，還要再長高一點。」

　　「啪！」小精靈很不禮貌的回答說：「再過兩百年，我一定會長得比你還要高！」小老鼠聽了笑得更大聲：「喔，這聽起來真的很恐怖，你一定可以嚇壞一隻迷你臘腸狗。」小精靈氣得想衝過去打小老鼠，不過，他想了想，還是算了。「你等著瞧吧！」小精靈口中唸唸有詞的飛走了。

　　小老鼠繼續愉快的往前走，「我再也不會害怕精靈了，」他想：「原來精靈小時候長得這麼小。」走著走著，小老鼠也累了，他想回到他溫暖的床上。

　　現在你也躺進你的被窩吧，晚安。

艾瑪和她的小熊克莉美

　　艾瑪和爸爸媽媽一起到森林散步。森林裡，小鳥們唧唧喳喳叫，太陽照著樹木，陽光灑在地上，投映出各種形狀，好像變魔術一樣。艾瑪手中抱著她的泰迪熊克莉美，開心的跟著爸爸媽媽走。

　　艾瑪發現路邊有一個螞蟻窩，她停了下來，把泰迪熊克莉美放在地上，仔細看著這些忙碌的螞蟻們。

　　不過，艾瑪的爸爸媽媽並沒有停下來，他們繼續往前走，一直到要回家的時候，才呼叫艾瑪。艾瑪跟螞蟻揮手說再見，快步跑向爸爸媽媽那兒去。

　　到家之後，艾瑪才發現她的泰迪熊不見了，她緊張的跑去告訴媽媽，拜託媽媽把小熊找回來。不過，時間已經很晚了，媽媽答應她，明天會去找小熊。不管艾瑪怎麼拜託，怎麼求都沒有用。今天晚上，她沒辦法和克莉美　起上床睡覺了。艾瑪一點都沒辦法靜下心來，她一直想到可憐的小泰迪熊，孤零零的躺在森林裡，一定嚇壞了。想著想著，艾瑪傷心的哭了起來。

　　這時候，有一道微微的光線照進艾瑪的房間，一個漂亮的小仙子站在她的床前。小仙子聽到艾瑪的哭聲，所以就連忙飛過來了。艾瑪一邊哭，一邊跟小仙子提到可憐的克莉美。假如她被小老鼠咬了怎麼辦？晚上下雨了怎麼辦？艾瑪真是難過極了，她怎麼會把克莉美忘在森林裡呢！

　　小仙子對艾瑪說：「你的心地好好喔！」接著，她在空中轉了三圈，口中唸著「心莎啦比！」的密語，然後，小仙子從她的斗蓬裡把小泰迪熊變了出來。

　　艾瑪馬上把克莉美放在懷裡，緊緊的抱住它。「我再也不會把你忘在任何地方了。」艾瑪向克莉美保證。

　　現在，你也把你的絨毛玩具緊緊抱在懷裡，閉上眼睛，做個有小仙子的好夢吧！

城堡小精靈

有一座城堡裡住著一隻一百歲的小精靈。他每天晚上都會穿過老城牆到外面去，不過，只有他單獨出去，實在很沒意思。有一個晚上，小精靈決定要飛到城裡去嚇嚇住在那裡的人。

不過，城裡的人早就全部進入夢鄉，街上空盪盪的，連一個可以嚇唬的人也沒有。小精靈找了很久，終於找到一個打開的窗子，裡面的燈還亮著。他很好奇，便鑽進屋子裡去。屋裡有一個叫菲利浦的小男孩坐在床上，他實在睡不著，所以就說著睡前故事給他的泰迪熊聽。

小精靈也跟著仔細聽，這實在是個有趣的故事。因為不想錯過任何好聽的故事內容，所以小精靈就慢慢的靠近、靠近，直到坐在床的旁邊。菲利浦發現有一隻小精靈在他身邊，他好驚喜，因為他一直希望能遇見小精靈，所以他一點都不害怕。

「歡迎你跟著一起聽故事，」菲利浦說：「我剛剛說到，熊熊騎士把噴火龍給打敗了。」小精靈很興奮的點點頭，因為他最喜歡騎士的故事了。

當菲利浦講完故事後，他對小精靈說：「現在換你說故事給我聽！」小精靈開始說：「有一次，我的城堡來了一個騎士……」他說著說著，一直到菲利浦閉上眼睛，慢慢睡著了。小精靈又等了一會兒，幫菲利浦和泰迪熊蓋上被子之後，才飛回他的城堡。

第二天，他決定再飛出去找菲利浦，再給他說個新故事，因為說故事比自己單獨去嚇唬人有趣多了。

好，現在閉上你的眼睛，我幫你蓋上被子。明天晚上，又會有一個新的故事喔！晚安。

灰色救星

　　夜深了，森林裡所有的動物都睡著了，有一隻小老鼠從他的小洞裡爬出來，嗅了嗅外面的空氣。貓頭鷹在哪裡呢？小老鼠希望貓頭鷹不要再來捉他了。

　　在粗樹幹和交錯的樹枝保護下，小老鼠在森林的泥地上尋找栗子和果子。月亮發出明亮的光，小老鼠找到一個又一個好吃的果子。他開心的吃著這些好吃的食物，完全忘記安全這件事。他一點也沒有發現，樹上有一隻貓頭鷹，正等著機會，要出手抓小老鼠。

　　當小老鼠啃著一顆特別大的堅果時，突然有一個大黑影出現在他的頭上。

　　「貓頭鷹！」小老鼠立刻蹲下來，摀住眼睛，希望不要被看見。「咿呀！」小老鼠頭上的聲音很大聲，但是聽起來不像貓頭鷹的聲音……小老鼠偷偷瞄了一眼，看到一張灰色的臉正看著他，顏色就像他自己一樣，只是這張臉非常非常大。「原來你不是貓頭鷹啊！」小老鼠鬆了一口氣。「不，我是驢子。一隻快餓昏的驢子！你有這麼多好吃的東西，可以分給我一些嗎？」

　　「好啊！如果你答應讓我騎在你的背上。」小老鼠說。

　　「當然嘍，」驢子回答：「你這麼小，騎在我背上根本沒問題。」他小心的用尾巴把小老鼠捲起來，舉到空中，然後輕輕的把他放在背上。小老鼠舒服的坐在驢子灰色柔軟的毛當中，心裡很高興，他偷偷對著貓頭鷹吐了吐舌頭。有了驢子的保護，貓頭鷹就不會來抓他了。經過這趟冒險之旅，小老鼠有點累了，他滿足的睡著了。晚安，小老鼠。

　　祝你也有個好夢。

蒐集好夢

莉莎喜歡裝扮成各種造型，不論是西部牛仔兔子還是馬戲團小丑，總是讓她覺得新鮮有趣。

有一天，莉莎打扮成一個小仙子，然後騎上腳踏車去接她的好朋友艾瑪。艾瑪則是打扮成一個女魔術師，她們一起到森林裡的小公園玩。

當她們到了小公園，跑向秋千的時候，已經有個和莉莎打扮得一模一樣的小東西坐在秋千上了。「你是誰？」莉莎很驚奇的問。「我是夢仙子，我叫菲歐娜。」小仙子開心的說，「你們要不要跟我一起去蒐集夢。」莉莎和艾瑪很驚喜的看了看對方，這實在很吸引人。「我只會說『猴可斯巴古斯』，或者是『阿巴卡打噗啦』的咒語。」莉莎害羞的說。

小仙子從秋千上跳下來，說：「啪啪啦啪噗，你只要不這麼害羞就可以了。」她牽起莉莎和艾瑪的手，口中唸著「呼里母里，嘿嘻分呷！」突然間，莉莎和艾瑪都變得和小仙子一樣小。菲歐娜又接著說：「呼哩母里嘿嘻波兒，把我們都提到空中吧！」她們三個一起升上了天空，在天空中軟綿綿的白雲裡飄來飄去。莉莎和艾瑪高興得尖叫起來。

她們在一朵雲的後面轉了個彎，小仙子突然停下來，跌在一朵雲上面。「呀喲！」菲歐娜笑著說：「飛太快了！」她整理了一下衣服，向兩個小女孩招招手，跟上她們。她們一起飛越彩虹，飛到一個超大的羽毛床。

羽毛床上坐著許多童話中的動物，有獨角馬、魔法師、巫婆、妖精、小矮人。也有一些是莉莎和艾瑪從來沒有聽過的動物，像是有彩色圓點的長脖子和耳朵像大象一樣大的動物、還有一個小動物的鼻子和蛇一樣長。菲歐娜撲通跳進大床上，和她的朋友們打招呼。「過來我們這裡！」一個臉尖尖的魔法師友善的對莉莎和艾瑪說，「我們才剛開始呢！」他閉上眼睛，一下子便打呼了。

其他的小東西也懶洋洋的躺進被窩裡，大家很快都睡著了。「我們約好每年一次聚在這裡，一起做夢。」菲歐娜開心的告訴兩個小女孩。「我們在夢裡見面，然後一起玩所有好玩的事：我們說笑話、猜謎語，我們唱歌、跳舞，在腳踏車上做最厲害的特技表演、用四角形的球變戲法，一直玩到大家都笑翻了！一起來玩吧，你們一定也會覺得很有趣。」

菲歐娜對她們眨眨眼，然後閉上眼睛……睡著了。莉莎和艾瑪不太知道要怎麼進入夢裡。他們的周圍睡了許多會魔法的小東西，在睡夢中發出可愛的笑聲。

「我們也試試看吧！」艾瑪和莉莎決定也閉上眼睛，她們很快就睡著了，嘴上掛著笑容，就和其他的小東西一樣。

如果你也想知道兩個小女孩做了什麼好夢，就跟她們一樣，躺在舒服的小床上，輕輕的，閉上眼睛。

尋找鑰匙孔

　　尼可在森林裡散步的時候，在泥坑中找到一把鑰匙。「嘿，老鑰匙，」尼可說，「你怎麼會在森林裡呢？」

　　「這真是個好問題！」鑰匙很不耐煩的說，「我在這裡等著生鏽，因為我從一個男人的口袋裡掉出來。」

　　「你是哪一個鑰匙孔的鑰匙呢？」

　　「我也不知道，如果我沒有在鑰匙孔裡，我就是在黑漆漆的褲子口袋裡。」

　　小男孩笑了。他拿起鑰匙，仔細的看了看。

　　突然間，尼可有一個點子，「我認識一個小精靈，他什麼地方都去過，而且聰明得不得了，我來問問他，看他願不願意幫助你。」尼可把兩根手指放在口中，吹了聲口哨，然後轉了轉他的帽子，小精靈就飛過來了。小精靈仔細的觀察鑰匙，然後說，「從你的樣子看來，你應該是屬於一個老莊園的鑰匙。我想，唯有一個可能，那就是隔壁村子的大倉庫。」

　　「尼可，你要抓緊嘍，不要讓鑰匙掉下去，我們現在要飛去大倉庫了。」小精靈用精靈襯衫包住尼可，然後就起飛越過森林的樹叢，再越過街道和田野，風在尼可的耳邊呼呼的吹。到達隔壁村子上空，小精靈先繞著教堂轉了一圈，然後飛過一個藥草花園，降落在一棟大房子前面。

　　「現在你試試看吧！」精靈說。尼可把鑰匙插進木門上的鐵鎖裡，「真的剛剛好耶！」鑰匙發出喜悅的聲音。因為他又回到自己的家裡。他很感謝尼可和小精靈。

　　晚上睡覺前，尼可還一直想著這個冒險之旅，他一定也會夢到這段旅程。

　　你會想要夢到什麼探險故事呢？

基斯摩睡不著

　　這是基斯摩第一次飛進城堡裡。城堡裡的房間太多了，害得基斯摩一直迷路；木頭地板嘎嘎響的聲音讓他很害怕，樹枝打在窗戶上的聲音也會嚇著他。風從城牆縫裡吹進來，「這裡真的很可怕耶。」基斯摩小聲的說。

　　「你是不是有點害怕啊？」有一個小小的聲音問。「誰？是誰在這裡？」基斯摩問，他轉身到處找。「竟然會有怕老鼠的精靈！」角落邊發出了笑聲，基斯摩發現是小老鼠，心裡放鬆許多。至少，不是只有他獨自待在這個巨大的城堡裡面。

　　「我找不到我的房間了。」基斯摩站在小老鼠面前。「沒問題，我知道你住在哪兒。」小老鼠說完，便在前面帶路。

　　終於回到精靈塔。這時候，基斯摩才第一次打開他的行李。「喔，不會吧，我忘了把我的泰迪熊帶來了！」基斯摩大叫，他很著急，把整個行李箱翻來翻去，就是找不到泰迪熊！他生氣的趴在地上大喊，「那我今天晚上怎麼可能睡得著嘛？」

　　「你確定你是一個精靈，而不是愛哭的小嬰兒嗎？」小老鼠問。「你笑我吧，沒關係，」基斯摩生氣的說：「我才剛到這裡，我很想家。這是我第一份工作。」小老鼠很有同情心，他靠近生氣的小精靈，鼓起勇氣說：「我的泰迪熊可以借你，因為你今天才第一次到這裡。」他把毛絨絨的泰迪熊拿給基斯摩。他們倆成為了好朋友。

　　你手中也有泰迪熊嗎？真的有嗎？
那晚安嚕！

隱形熊巴比

　　拉拉心裡最大、最特別的願望，是得到一個可以隱形的東西。但是這個願望是用錢買不到的，所以她把願望改成「得到一個小妖怪」。自從她得到這個小妖怪後，就再也不想理舊的泰迪熊巴比。

　　「小妖怪實在太酷了！」拉拉告訴巴比：「泰迪熊一點都不酷！」拉拉把巴比放在窗臺上，讓他孤單的待在那兒。巴比坐在窗臺向外望，看著拉拉和小妖怪在湖邊玩。巴比也很想跟他們一起玩。

　　這時候，有一個小仙子來到巴比旁邊。「不要哭，巴比，」小仙子輕聲的說，然後拿給巴比一條透明的小手帕，「如果把這條手帕蓋在你身上，你就會變成隱形熊。這就是拉拉最想要得到的禮物。」巴比一點都不遲疑，馬上拿起手帕蓋在身上。嗶鈴！巴比不見了。

　　晚上，拉拉回來了。她到處找她的泰迪熊，卻怎麼找也找不到。其實，拉拉很想念她的巴比，雖然和小妖怪一起玩很有趣，但是小妖怪實在太調皮了。而且，小妖怪抱起來一點也不像巴比那樣溫暖和毛絨絨的。

　　巴比現在到底在哪兒呢？拉拉傷心的上了床，鑽進被窩裡。她真的很難過，所以一點都沒有發現，巴比其實就坐在她腳邊。看到拉拉傷心，巴比心裡也很難過。但至少，他現在知道，拉拉還是很想念他的。

　　巴比決定把自己變回來，讓拉拉可以看得見她。他把手帕從頭上拿下來，變回原來那隻舊的泰迪熊巴比。

　　當拉拉看到巴比，她高興得歡呼起來：「我好想你！」拉拉在巴比耳邊輕輕的說：「明天你還要在這兒，不可以再隱形不見喔，我要永遠都能看到你。」拉拉摸著巴比身上柔軟舒服的毛，閉上眼睛，才過一下子，兩個就都睡著了。

　　你也學拉拉這麼做吧，閉上眼睛，然後，睡個好覺。

幫幫菲莉

　　有一隻大蜻蜓停在思凡的玩具船上，「哇！你有一艘超棒的遊艇耶！」蜻蜓小聲的說。思凡心裡想：「咦，蜻蜓怎麼會說話？」思凡仔細一看，其實她不是蜻蜓，而是一個有著淺藍色翅膀的小女生，看起來像個仙子。

　　「我是一個仙子，我叫菲莉。」她小聲的說：「我住在湖中的小島上，但是我的翅膀扭到了，沒辦法飛回家。你可以開船送我回家去嗎？」「好哇！」思凡回答。不過，當他正要開船的時候，鑰匙卻掉進水裡，不見了。思凡很難過，他開不了船，小仙子也回不了家了。

　　菲莉說：「我們現在需要幫忙。」她彎下腰，對著水裡喊：「嘿，你們這群小魚！」才一下子的時間，就有一群彩色魚從水中跳到船上。「你們可以幫忙找鑰匙嗎？」菲莉求牠們。「如果找到鑰匙，我們可以得到什麼呢？」一隻胖鯉魚問。菲莉嘆著氣說：「唉，我總是幫別人實現願望，難道就沒有人可以幫幫我嗎？」思凡從袋子裡拿出他的奶油麵包，「這就是你們找到鑰匙的獎品。」思凡和魚群約定好。

　　這群魚就潛到水裡，沒多久，胖鯉魚找到鑰匙了，牠把鑰匙放在船上的甲板。「謝謝你！」菲莉說。現在，思凡可以把船發動了，小仙子帶著她扭傷的翅膀上了船。前往菲莉家的路上，思凡一邊開船，一邊剝下麵包餵魚。

　　今天晚上你會夢到菲莉和她住的小島嗎？祝你睡個好覺，明天再告訴我喔。

新家

　　驢舍越來越舊了。雨滴從屋頂滴進驢舍裡，風也從牆縫吹進來。「我們一定得搬家了。」小老鼠瑪蒂娜冷得一直發抖。驢子彼波同意的點點頭。於是，他們兩個就離開驢舍了。

　　他們走了很久。突然間，他們在坑裡發現了一輛全新的腳踏車。「如果我們把這輛腳踏車賣掉，一定可以得到很多錢。然後，我們就可以搬到豪華的新家了。」瑪蒂娜很開心的說。「不，」彼波低聲的說：「這輛車一定是某個人的，如果他找回他的車，一定會很高興。」

　　「呀啾！」旁邊的樹叢裡有人發出哇哇叫的小聲音。小老鼠很快的跑進樹叢中，發現有個小女孩在那兒，她的腿被割傷，而且也扭傷了。

　　「我跌倒了，沒辦法走路！」她抱怨著說。「我們來幫你。」瑪蒂娜安慰小女孩，然後叫彼波過來幫忙。彼波蹲下來，小女孩抓住彼波長長的鬃毛，爬上彼波的背。然後，彼波小心的站起來。「你住在哪裡？」瑪蒂娜問。「我住在城堡裡。」小女孩輕聲的說。彼波便慢慢往前走，走到城堡門口。

　　「請開門讓我們進去，這裡有人受傷！」瑪蒂娜用最大的聲音喊著。城門立刻打開了，管理員走出來，他看到小女孩的傷口，擔心的問，「很痛嗎？」小女孩搖搖頭說：「已經沒有那麼痛了，」她看著瑪蒂娜和彼波，笑著說：「是他們兩個救了我。」

　　為了謝謝瑪蒂娜和彼波的幫忙，小女孩讓他們兩個住進城堡裡的驢舍。一直到今天，他們都還住在那兒。

　　　　　　　　你現在也躺在自己舒服的床上嗎？晚安！

被月亮晒傷了

小精靈特莉亞和她的爸爸媽媽住在湖邊，他們的房子蓋在湖岸旁的大樹上。白天的時候他們都在睡覺，到了晚上，就出來四處嚇人。

有一天晚上，月亮特別明亮，媽媽警告特莉亞：「今天晚上你要記得戴上蘆葦帽，不然的話，你會被月亮給晒傷的！」特莉亞一點都不想戴這頂帽子。「戴上帽子，我看起來就一點都不可怕了！」她抱怨著說，然後躲到岸邊高高的草叢裡去。

過了一會兒，特莉亞遇到她的朋友霧精靈和風精靈。他們在潮溼的泥巴地上追來追去，一起嚇鴨子和小魚，還把湖水弄得到處都是。

「這實在是太好玩了！」

特莉亞玩得完全忘記時間，一直到天快亮的時候，她才覺得頭有點昏昏的。「奇怪，」霧精靈對她說：「小精靈應該是透明的，但是你現在看起來一點都不透明了！」特莉亞沮喪的飄回家。

精靈媽媽用手拍著頭大叫：「天哪，你被月亮給晒壞了！還好，我還有海藻藥膏。」她幫特莉亞塗上藥膏後，特莉亞全身都變成了綠色。這藥膏的味道一點都不好聞，而且特莉亞一整個禮拜都得待在家裡，不能出門。這比戴蘆葦帽還要慘！「以後我一定會戴上帽子的。」特莉亞在睡著前保證的說。

你是一定不會被月亮晒傷的，不過，你最好把被子蓋好，不然會著涼的喔。晚安！

永遠不餓城堡

「上床嘍，我的乖寶寶。」保羅的媽媽推著保羅進房間睡覺。保羅咧著嘴，因為他肚子還好餓。晚餐的時候，他根本沒吃什麼東西，因為他忙著跟爸爸媽媽說足球課發生的趣事。現在，他的肚子咕嚕咕嚕叫，像直升機啟動那麼大聲。

保羅躺在床上，一點都睡不著，那些瘋狂的精靈在他面前飛來飛去。有的精靈有披薩做成的耳朵，有的精靈嘴巴是香腸麵包做的、手是煎餅，最後面的那個精靈聞起來有起司的味道，他的頭上還有一大盤義大利肉醬麵。

這些精靈的顏色看起來都很漂亮，聞起來也很可口。他們就在保羅的鼻子前面跳舞，當保羅伸手去抓他們的時候，他們一下子就逃走，飛到空中。

保羅乾脆起床，躡手躡腳的走出去，以免被爸爸媽媽聽到。他小聲的走向廚房，就在走廊的正中央，踢到一個小小硬硬的東西。

保羅彎下腰，撿起這個小東西，原來是一把金色鑰匙！這把金鑰匙是從哪兒來的啊？保羅把鑰匙放在手中轉來轉去。漸漸的，這把鑰匙開始一閃一閃的發光，然後，整個走廊都亮起來了。就在這個時候，保羅整個人飄到空中，越飄越高、越飄越高。然後，他從廚房打開的窗戶往外飛出房子，再飛越城市，飛過湖泊和森林……一直飛到一個非常美麗的城堡前，才慢慢的降落。

保羅好奇的把手中的金鑰匙插進城堡的城門中，「咔啦！」鎖打開了，城門也打開了。保羅覺得好神奇喔！在他眼前是一個大廳，他實在不敢相信，大廳裡面有世界上最有趣的精靈，也有最友善的精靈。各式各樣的精靈都在大廳裡面「咻！咻！」的飛來飛去。

精靈們很快的飛過來跟保羅打招呼，好像他們已經是很好的老朋友一樣。當然，在那裡也有披薩耳朵的精靈，香腸麵包嘴和煎餅手的精靈。一個有薯條頭髮的大精靈很有禮貌的跟保羅鞠躬問好。「歡迎你，金鑰匙大王。」他說，「歡迎來到永遠不餓城堡！」

　　薯條頭精靈跟保羅介紹城堡大廳中擺滿食物的桌子，旁邊有一個看起來像爆米花的迷你精靈小聲的說：「這全部都是給你吃的！所有你想吃的都可以試試看，這裡的食物絕對夠你吃。」

　　保羅可一點都不遲疑。他坐下來，深深吸了一口氣，然後開始拿他想吃的東西。他又吃又啃，咔滋咔滋的咬，這裡每樣東西都好吃得不得了。雖然桌上還有許多美味的食物，但是保羅已經吃累了。湯匙從他的手中滑落，他滿足的睡著了，就像你一樣。

忠實的朋友

　　從前有一隻小老鼠住在一個大湖中間的小島上。有一天，在岸邊的彩色小石頭上躺了一隻泰迪熊，應該是被湖水衝到岸上的。他看起破破爛爛的，肚子上還有一個大破洞。

　　「就算他不再是最漂亮的泰迪熊，」小老鼠心裡想：「他還是可以做我的朋友。」從現在開始，他都不會離開泰迪熊的身邊。小老鼠拿了一片葉子蓋在小熊身上，這樣他就會溫暖一點。

　　早晨的時候，小老鼠舔著泰迪熊鼻頭上的露水；下過雨後，他會幫小熊吹乾身上的雨水。雖然小老鼠知道，泰迪熊不是真的，但是他還是很高興可以為它做這些事，就像真的好朋友一樣。

　　夏天快過完了，秋天慢慢接近。有一天晚上，天氣變得很冷，小老鼠躺在泰迪熊的肚子上，舒服的睡著了。這時候，出現了一個小仙子，「因為你這麼忠心的照顧你的朋友泰迪熊，所以你可以許一個願望。」小仙子溫柔的說，然後就消失了。

　　當小老鼠醒來的時候，他不敢相信他眼睛看到的。泰迪熊坐在一個乾爽的地方，他的毛色發亮，肚子上的破洞也不見了。它兩個手臂中間有個用落葉、小草和羽毛堆成的小窩，小窩中間坐著一隻母的小老鼠，正對著他眨眼睛。

　　小老鼠興奮的往她那兒飛奔過去，他終於不再孤單了。從此之後，兩隻小老鼠過著幸福快樂的生活。

　　故事就說到這邊嘍，晚安！

米雅和馬戲團的小驢子

　　有一個小小的女水怪住在很深的湖底，她的名字叫米雅。小魚、水獺和小螃蟹都是她的好朋友。還有一些住在海底的動物，他們會在晚上游到湖裡，喝清涼的湖水，他們和米雅也是好朋友。

　　有一天晚上，月光很明亮，映照著整個湖面。突然湖邊的樹堆裡發出沙沙的聲響。米雅很好奇，便從水裡探出頭往外看。就在她面前，站著一隻小驢子，長得像狗一樣小，頭上戴著彩色的羽毛皇冠。「你是誰啊？」米雅問。「我叫帕歐羅。」這隻迷你驢子回答，「我是在馬戲團裡表演的。那你是誰呢？你看起來好特別喔。」

　　「我是小水怪。」米雅說：「你的馬戲團在哪裡呢？」

　　「我沒有跟上我的馬戲團，他們已經出發往別的地方去了，」小驢子回答，「我在後面一直追，但是馬戲團的車子實在跑得太快了。」看到小驢子嘆氣的說，米雅保證一定會幫小驢子這個忙。米雅吹了聲口哨，她的好朋友們立刻到她面前集合，討論如何幫助小驢子。

　　首先，由小鹿負責找到馬戲團的車子開往哪裡。他們發現車子是往湖的另一邊開去。然後，水獺幫小驢子做了一艘小木船，螃蟹幫忙綁上一條繩子，其他的小魚一起把船拉到湖的對岸。狐狸們則已經在對岸等候，他們告訴小驢子馬戲團車子停下來休息的空地在哪個方向。

　　小驢子帕歐羅謝謝米雅和她朋友的幫忙，然後，就跟著狐狸往馬戲團那兒跑過去。

　　米雅開心的滑進水裡，慢慢游回家，家裡的蘆葦床正等著她！

　　你的小床也在等你嗎？現在就回到你的床上，做一個有米雅、帕歐羅、小鹿和狐狸的美夢吧！

壞心的小仙子

約克到幼兒園上學的路上會經過一個小森林，他每次經過森林的時候，都要快快的跑過去，因為大家都說，森林裡住著一個壞心的小仙子。

有一天，約克看到在森林的樹叢中停了一輛腳踏車，那輛腳踏車是淺黃色的，有著黑色的把手，正是他夢想中的腳踏車！約克繼續往前快跑，心裡想：「這輛車一定是誰忘在那兒的。」

接下來幾天，腳踏車還是一直停在同樣的地方。約克終於受不了了，他鼓起勇氣往腳踏車那兒走過去。就在他摸著腳踏車把手的時候，聽到一個可怕的聲音從車子後面傳出來。約克轉身，看到壞心小仙子。他的心一下子往下沉，心中害怕極了。

小仙子開口說：「你已經收了我送的禮物，從現在開始，你要永遠待在這裡伺候我！」

這時候，約克腦子裡突然出現一個好點子。他問：「這輛腳踏車是給我的嗎？」壞心仙子點點頭，約克接著說：「我可以表演特技給你看唷！」小仙子很好奇的說：「好啊！」約克騎在車上，但是讓車子在原地靜止不動；他又用單手騎車，甚至可以雙手都不扶著把手的騎車。小仙子看得好起勁，他完全沒有發現，約克已經悄悄往森林邊的馬路騎去。

就在快接近馬路時，約克用力踩下踏板，咻的一聲，像風一樣的騎出森林，然後用最快的速度騎回家。壞心小仙子完全沒辦法再控制他了。

如果你也像約克一樣聰明，現在就趕快滑進你的被窩裡。睡飽了，明天才有力氣繼續探險喔！

廚房鬧鬼了

「這裡發生什麼事了？」當小老鼠柯屈斯走進廚房時非常驚訝，「怎麼會這樣呢？」冰箱前面的地板到處都是蛋糕屑，還有醬汁的痕跡。柯屈斯是國王城堡裡的廚師，「昨天我把這裡全部都打掃得乾乾淨淨，還把廚房的門鎖起來。」小老鼠一邊搖著頭，一邊看著手中的鑰匙。小老鼠決定了：「今天晚上我倒要瞧瞧，到底是哪個傢伙做的好事！」

到了晚上，柯屈斯精神特別好，一點都不想睡覺。突然冰箱自己打開，一道光照在一個小精靈身上，他剝下一塊蛋糕，用湯匙舀了一口湯，然後聞一聞，說：「嗯，好吃！」

「你很喜歡，是嗎？」小老鼠跳出來生氣的說。小精靈嚇得連手上的湯匙都掉到地上。因為覺得很抱歉，小精靈的身體幾乎變成透明看不見了。「親愛的柯屈斯，你煮的東西聞起來實在是太美味了！」小精靈輕聲的說：「我實在是忍不住。」小老鼠很好奇的問：「但是你為什麼不吃下去呢？」小精靈輕輕的笑著說：「你看，我沒有真的身體，像我這樣的精靈，根本沒辦法吃東西。但是我有一個很靈敏的鼻子，你的東西實在是太香了！」

這個讚美讓小老鼠聽了很高興，他決定送給小精靈一個禮物。他說：「你可以在我這兒工作，在我把國王的食物送上桌之前，你可以聞聞看。如果少加什麼調味料，你就告訴我。」小精靈聽了，高興的跳起舞來，因為他再也不必這樣偷偷摸摸的跑到廚房裡了。現在，他可以光明正大的到廚房工作，明天，他就可以正式上班了！

你明天不只可以聞到食物香噴噴的味道，還可以好好的享受美食呢！晚安。

糖粉精靈

　　愛莉娜住在森林裡，她家有一個很大的花園。夏天的時候，她常常坐在大杉樹下看圖畫書，她也用會杉樹的毬果幫她的布娃娃做床。

　　現在是秋天了，白天的時間越來越短，晚上越來越冷。愛莉娜和她的布娃娃躺在床上睡覺，睡到半夜，愛莉娜突然醒了，因為有一道奇怪的藍光照進她的窗簾。愛莉娜站起來，慢慢走到窗邊。她仔細一看，花園不見了！昨天，花園裡還有小草，現在卻變成亮晶晶的藍色毯子，小樹都變成一顆顆白色的球，其他地方都是月亮的影子。

　　花園的盡頭，有一個巨大的精靈，是三角形的，頭上戴著尖尖的帽子。精靈的眼睛張得大大的，左看右看。愛莉娜把她的娃娃抱在懷裡，她覺得好冷，但是她不敢回到床上去。

　　這時候房門開了，愛莉娜的媽媽走進來。「外面有一個大精靈。」愛莉娜小聲的說。媽媽走到愛莉娜旁邊，往窗外一看。「喔，不是的，」媽媽微笑著說：「你再仔細看一看！」愛莉娜仔細再往花園裡看，她還是看到大精靈。媽媽抱著愛莉娜笑著說：「是下雪了！那個大精靈是你最喜歡的大杉樹！」

　　愛莉娜也笑了。真的耶！冬天的第一場雪灑在花園裡，好像細細白白的糖粉一樣。月光照下來，把所有的東西都變成藍色了。

　　現在，愛莉娜不害怕了，她好期待明天快來，這樣她就可以把雪橇從地下室拿出來玩。她立刻爬上床，蓋上溫暖的被子，做著滑雪橇的好夢了。

　　你今天晚上會夢到什麼呢？

過生日

挪亞很興奮，因為今天是他五歲的生日。他的好朋友莎拉、馬克和艾瑪都要和他一起慶祝生日。挪亞的邀請卡上寫著：「要帶游泳衣和腳踏車來喔！」

挪亞的媽媽烤了生日蛋糕，還準備了紅蘿蔔條、小香腸和汽水。然後，她就和孩子們一起騎車到湖邊。

他們在湖邊玩水玩了一整個下午，孩子們肚子餓極了。挪亞的媽媽把帶來的食物打開，孩子們都等不及，用手搶著東西吃。

就在這時候，他們後面出現一個聲音：「咿呀！」孩子們嚇得轉過身來，他們看到一隻驢子。大家高興的跳起來，每個人都想摸摸驢子，「你也想吃一點蛋糕嗎？」挪亞拿了兩塊蛋糕問驢了。

這時候，跑來了一個小男孩，他叫著說：「奧斯卡，你這個橫衝直撞的傢伙！」他把繩子套在驢子的脖子上。「牠常常像這樣從家裡衝出來，」小男孩提姆指著山坡上的農場對挪亞說：「牠會用嘴把農場的門推開，然後跑去跟小孩子玩。」

「我覺得，小驢子很想跟我們一起吃東西。」挪亞媽媽笑著說。她遞給小男孩一塊蛋糕，小男孩慢慢不生氣了。他和其他小朋友坐在一起吃東西，過了一會兒，小男孩提姆和其他孩子一起騎著驢子玩，他們也給小驢子紅蘿蔔條當作獎品。

天黑了，提姆和小驢子得和大家說再見了。挪亞和他們約定，一定會再去找他們玩。然後孩子們各自騎著腳踏車回家。挪亞的朋友們都玩得累壞了，或者可以這麼說：像驢子一樣累！挪亞一點也不拖拖拉拉的上床睡覺了。

你也累了嗎？好，閉上眼睛數：一隻驢子、兩隻驢子、三隻……好好睡吧！

小狐狸

　　小老鼠、精靈和泰迪熊是最要好的朋友。每天晚上他們都會在森林裡的空地上碰面，一起玩捉迷藏、警察抓小偷和猜顏色的遊戲。當小老鼠大喊：「我看到一個東西，是你沒看到的，它是紅色的。」一隻躲在樹後的狐狸跑出來說：「你們真是一群奇怪的傢伙！」

　　泰迪熊笑著說：「我們才不奇怪呢，我們就是在一起玩啊！」「沒錯！」狐狸說：「但是你們根本不能在一起玩！」精靈好奇的問：「為什麼不可以？」「因為小老鼠需要的是老鼠的友誼；精靈一定是和精靈一起去嚇唬別人；而泰迪熊，當然應該和泰迪熊玩嘍！」狐狸這麼說。

　　小老鼠、精靈和泰迪熊互相看了一下，想了想，小老鼠抱怨說：「如果是這樣的話，那麼我們得重新去找自己的新朋友了。」他們難過的說再見，然後回到自己的家。

　　小老鼠發現一群跑得很快的小老鼠，他對著他們大喊：「哈囉，你們要和我玩捉迷藏嗎？」不過，這群小老鼠並沒有停下來，只有其中一隻稍微把頭抬起來，尖叫著說：「我們沒有時間！我們要繼續去找食物。」

　　精靈遇到的情況也很糟糕。他在一座山上遇到兩個精靈，他們也不想和精靈一起玩。「我們要去嚇人了！」他們大聲的叫：「嘎！嘎！呼！呼！」然後向天空飛去。

　　最慘的是泰迪熊。他跑了很長的路，穿過森林和草原，也越過街道，終於看到另外一隻泰迪熊。他高興的跑過去問：「你要和我玩捉迷藏嗎？」這隻泰迪熊用力的搖搖頭，說：「你怎麼會這麼問呢？我們泰迪熊是和小孩子一起玩的，我的小主人叫路易。」「我們可以三個一起玩啊。」泰迪熊想了一個好辦法。「不可以！」另一隻泰迪熊說：「你去找你自己的主人吧！」

　　泰迪熊用他短短的絨毛小腳快快跑回森林裡，小老鼠和精靈已經在那兒等他了，他們三個開心的抱在一起。「我才不要找別的朋友呢！」泰迪熊說。「我也不要！」小老鼠吱吱的說。「我一點都不想要！」精靈也說。

這時候，狐狸又悄悄的走過來。「你騙我們！」泰迪熊對狐狸說。精靈也大叫：「在森林裡，根本沒有比小老鼠和泰迪熊更好的朋友了！」狐狸後悔的看著地上。小老鼠問狐狸：「你可以在哪兒找到狐狸朋友呢？狐狸真的只能和狐狸玩嗎？」

「嗯，」狐狸清了清喉嚨說：「不管是狐狸朋友，還是其他的動物朋友，我都沒有。所以我很嫉妒你們，希望你們不要在一起。我實在很對不起你們，真的。」「你真的很差勁耶！」泰迪熊很生氣。小老鼠也罵狐狸：「沒錯，你可以問我們要不要讓你和我們一起玩啊！」「那你們願意讓我和你們一起玩嗎？」狐狸小聲的問。「可以啊，但是你不可以再把我們分開了！」精靈回答。「這點我可以向你們保證！」狐狸說。「好，那我們現在來玩猜顏色的遊戲！」小老鼠馬上實現他們剛剛約定的事：「嗯，我看到一個東西，是你們沒看到的，它是紅色的。」狐狸想都沒想就笑著回答：「那是我的尾巴！」

現在，這三個好朋友已經變成四個了！

你一定也不想和你的好朋友分開，對不對？明天你們又可以在一起玩了。現在閉上你的小眼睛，快睡吧！

提多斯和他的冰上公主

　　小驢子提多斯和小雷娜一起在結了冰的湖上滑冰。大家看到他們一起滑冰的時候，都覺得美極了！他們看起來像是馬戲團裡的明星。提多斯穿著他的溜冰鞋在冰上優雅的滑行，他的四隻腳都不會打結跌倒。小雷娜更厲害，她像冰上公主一樣的在湖面上溜冰、轉圈；跳到提多斯的背上，然後從另一邊下來。或者，當提多斯在滑圈時，雷娜就在提多斯的背上單手倒立。他們一直不斷的練習，因為他們希望有一天，可以真的在馬戲團裡登臺表演。

　　到了晚上，他們兩個都累壞了。雷娜累到吃不下飯，她脫下粉紅色舞衣，撲通一聲跳上床，蓋好被子，馬上就睡著了。提多斯呢？他和其他的驢子一起躺在驢舍裡，跟他們說他遇到的事：「雷娜真的像一位冰上公主，跟她一起練習，真是有趣！她像是一把鑰匙，打開我的好運氣！」他一邊說，一邊嚼著乾草，「每天晚上我都期待明天快來！」提多斯在稻草上翻了一個身，也睡著了。他夢到雷娜和他一起滑冰，練習他們想嘗試的新動作。

　　睡覺，然後知道明天要發生的好事，這不是很棒嗎？

　　現在，閉上你的小眼睛，然後想想看那些明天會發生在你身上的好事吧！

小仙子復仇

「這是什麼東西的蓋子啊！」當森林的仙子班長和其他仙子坐在森林裡的空地時，她抱怨的說。今天的月亮掛在天空，又圓又亮，仙子們正在開會。「森林看起來糟糕透了！到處都是紙屑、吃剩的東西，還有被踩壞的花。」仙子班長生氣的說：「親愛的同伴們，今天晚上我們要好好整理整理森林。」

仙子們嘆著氣，因為她們本來是高高興興來開會的，沒想到，現在卻得要清理垃圾。這些垃圾是一個小男孩和他的同伴留下來的！仙子們生氣的罵著這些孩子，但仙子班長說：「什麼都別說了！這座森林應該保持乾淨，不然，森林裡的動物都會生病的。」大家都同意仙子班長的意見。

不過，一個叫寶拉的仙子還是很生氣，她決定：「我要來開個玩笑！」第二天下午，雷歐和他的朋友又來森林的空地上踢球，寶拉已經在樹叢後面等著了。一開始，她先在雷歐的球上施魔法，讓這些小男孩沒辦法用腳踢球，只能用頭頂球。然後，她把到處亂放的汽水瓶打翻，小男孩們沒水可喝，口渴得不得了。最後，她讓螞蟻爬滿了孩子們帶來的麵包上。

「走開！」雷歐大叫。當小男孩們抓起他們的背包，背包上的帶子全都打結。他們花了很大的力氣才把帶子鬆開。寶拉在樹叢後面大喊：「這就是不收拾垃圾的後果！」男孩們一聽，都嚇壞了，這聲音是從哪來的啊？救命啊，快跑！

他們急忙把瓶子、麵包都塞進背包裡，用最快的速度跑出森林。「報仇的感覺真棒！」寶拉高興的笑了起來。她很快的回到她的羽毛小床，享受她的仙子美夢。她很確定，男孩們以後不敢再把垃圾留在森林裡了，因為垃圾本來就不屬於森林。

聽完故事，你也像小仙子一樣的睡覺吧！

貓咪警報

今天是搬家的好日子！一大早，就有一輛大卡車開來，搬走舒伯特家所有的家具。一起被搬上車的還有小老鼠一家的籠子。小老鼠是凱特的寵物。

當老鼠一家被抬下車的時候，他們充滿新奇的看著周圍的環境。新家位在一個小湖邊。「這裡真是安靜。」老鼠爸爸說。「這個房子真不錯！」一對雙胞胎老鼠咪咪和摩摩說。「但是，」老鼠媽媽害怕得大叫：「客廳裡有一隻貓！」

很不幸的，舒伯特先生和太太覺得這隻貓很可愛，他們摸摸他的毛，還給他一杯牛奶。

「這下慘了！」老鼠爸爸大叫：「他們喜歡貓！我們一定要想點辦法。」「你們覺得這個辦法怎麼樣，我們可以去嚇貓，讓他不敢再來。」摩摩說。「對啊，我們可以裝鬼嚇嚇他啊！」咪咪也有個好主意。「唉，貓才不會怕這麼小的鬼呢！」老鼠爸爸這麼覺得。

不過，老鼠媽媽有辦法：「我們先等到天黑吧。」她一邊說，一邊神祕的吹著口哨。小男孩凱特餵完小老鼠吃東西之後，通常不會把籠子門關上……

半夜的時候，老鼠拿了一條白色被單，掛在凱特停在門口的腳踏車上。小老鼠一家全躲在床單下面，摩摩負責把風。

突然間，摩摩小聲的說：「他來了！」老鼠爸爸和媽媽立刻踩動腳踏車的踏板，腳踏車的後燈就亮了起來。咪咪則是負責去按把手上的喇叭：「叭咘！叭咘！」摩摩用低沉的聲音大叫：「咘！呼！」貓聽了嚇一跳，捲起了尾巴，害怕的發出喵喵聲，轉身逃跑了。

「我們擺脫他了！」小老鼠們開心的慶祝：「現在我們可以安心睡覺了。」

你現在也可以睡覺了，我的小老鼠。

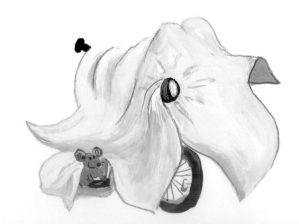

如果吵架的話……

從有記憶開始，泰迪熊和小驢子就一起住在愛蜜莉的房間裡，他們是愛蜜莉在一次聖誕節時得到的禮物。不過，他們兩個常常鬥嘴。

泰迪熊總是吹牛，愛蜜莉當時是先拆開他這個禮物，然後把他抱在懷裡。小驢子聽了氣得不得了，回嘴：「每次愛蜜莉過來玩的時候，我長長的耳朵比誰都先聽到！」

他們兩個最常為玩具城堡吵架。城堡的浴室裡有一個很大的浴缸，廚房裡有電爐，睡房裡有軟綿綿的床。最棒的是大廳裡有個國王寶座。他們兩個都想坐上寶座，但是寶座只有一個。如果愛蜜莉把泰迪熊放在寶座上，泰迪熊就會大叫：「現在，我說什麼，你就要做什麼！」如果是驢子坐上寶座，他就會說：「哇，現在我是國王了！」

現在，愛蜜莉要走進房間，他們兩個開始緊張了。今天誰會是城堡的國王呢？誰會被抱在愛蜜莉的手裡呢？結果，不是泰迪熊，也不是驢子，愛蜜莉讓娃娃史汀娜坐在寶座上，泰迪熊、驢子則被放在娃娃車裡。

一開始，泰迪熊和驢子都很生氣。但過了一會兒，泰迪熊肯定的說：「這裡很舒服！」驢子也這麼覺得：「嗯，比城堡好多了！」他們舒服的擠在一起睡著了。

從此以後，他們兩個就不再吵架了，而史汀娜就一直住在城堡裡。因為不吵架了，他們兩個睡得比以前更好了。

現在，你可以得到一個大大的睡前香吻，晚安嘍！

可怕的小精靈

「我喜歡這裡！」小精靈馬諾滿意的看著發亮的湖說，但是湖泊卻說：「我可一點都不希望你住在這裡！大家都很怕你呢。」

「我又沒有對誰不好！」馬諾一邊沿著湖邊飄來飄去，一邊生氣的大叫。來到湖邊游泳的人看到馬諾，都尖叫的跑走了，他們嚇得連野餐籃都忘記帶走。「就是這裡啦！」馬諾嘆著氣說：「我可不想再回去住破舊的老城堡了。」他狂吃野餐籃裡的各種食物，然後滿足的睡著了。

遊客看到馬諾，都嚇得不敢靠近湖邊。小男孩揚恩想：「我們得馬上計劃一下。」但是有什麼辦法可以把精靈趕走呢？揚恩走到湖邊對著湖說，「湖泊啊，你一定要幫我，」揚恩乞求著說：「我有一個好辦法，但是我一個人做不到。」湖拍打著波浪，好像是同意揚恩提議的好辦法。

揚恩悄悄靠近正在打呼的精靈。「你好，好心的精靈！」揚恩大聲的打招呼。精靈醒了，他很疑惑的瞪著揚恩。這麼一個小男孩，竟然敢叫他「好心的精靈」！這實在是太看不起我了！「我是可怕的精靈！」馬諾氣得大吼，聲音大到讓湖水都起了一圈一圈的漣漪。「喔！」揚恩說：「這真是一個誤會，是湖的另一邊住了一個好心的精靈。」他指著在旅館旁的木房子。「好心的精靈？你告訴我，他在哪兒。」馬諾下了命令。

揚恩和馬諾往木房子走去。揚恩用鑰匙打開船塢破爛的門，裡面黑漆漆的，而且有股發霉的味道。湖水拍打在小木橋上，橋旁的木船隨著湖水輕輕的搖來晃去。

「誰是那個好心的精靈？」馬諾很想知道。好心精靈發出隆隆的聲音，揚恩敲敲木橋上的木板說：「好心的精靈請出來吧！」木橋發出很吵的漱口聲音，很像是水管裡面的聲音。湖水退去，木橋有點抖動，揚恩差一點就站不穩了。「你確定，這裡真的有好心精靈嗎？」這時候，馬諾也開始有點發抖了。揚恩用力的點點頭，他很想笑，但他必須忍住。船塢裡沒有水，只有一條小魚。因為沒有水，小魚在泥巴堆裡抖著身體，可憐的掙扎著。

突然間，有聲音出現，像打雷一樣大聲，馬諾嚇了一大跳。船塢的牆壁開始搖動，水一下子灌滿了船塢，水柱的樣子像是一張巨大的臉，有一個聲音說：「誰在跟我說話？」揚恩指著馬諾，馬諾已經嚇得躲到船塢的角落。

馬諾知道，好心精靈比可怕精靈更厲害。「不要對我做什麼！」馬諾小聲的說，又害怕的加上一句：「拜託！」這是他一生中第一次這樣求饒。「可以，請你馬上從這裡消失，」好心精靈威脅說：「在這個湖泊只能有一個精靈，那就是我！」馬諾回答：「我懂了！」然後他從船塢裡滑出來，飄回他那個破舊的老城堡去。

才一眨眼的時間，水柱退去了，湖面又恢復原來的樣子，湖水輕輕拍打著船塢。「呼！這實在很累人啊！」湖泊嘆著氣說。「這真是一場超棒的表演，」揚恩稱讚著說：「可怕精靈被我們趕走了。」說完後，揚恩高興的跳進清涼的湖裡游泳，湖裡濺起了水花。

好了，馬諾已經不會出現在湖泊嚇人了。

現在你可以放心的睡個好覺了。

月亮上的城堡

在一個溫暖的晚上，月亮很圓，小老鼠和驢子一起坐在草地上，欣賞掛在天空的月亮。「看起來，月亮裡應該有個城堡。」驢子這麼想像著。「對，」小老鼠也這麼覺得，「如果是這樣，我們要不要一起飛到天空，到月亮那兒去看看呢？」他們兩個站了起來，從倉庫裡拿了一些工具，開始敲敲打打，因為他們要自己造一艘太空船。驢子看著小老鼠，打著哈欠說：「好主意！」

第二天，太空船造好了，可以起飛了。太空船快速的穿過外太空，在他們面前閃過數不完的星星。過了幾個小時之後，他們降落在月亮上。

「我們到了！」小老鼠說。驢子打開門，看來看去。「這裡真是冷啊！」驢子問：「城堡到底在哪兒呢？」「是不是在這座小山的後面呢？」小老鼠猜。但是，他們只看到火山口和光禿禿的石頭。不管在小山後面，或是其他地方，都沒有看到城堡。

驢子失望的跑回太空船，小老鼠也跟在後面。他們坐回駕駛座，然後發出命令：「飛吧，回到地球去！」

他們又回到地球，望著掛在天空的月亮。「我相信，我們的城堡是一座空中城堡。」小老鼠對驢子說。驢子微笑的點點頭，然後，這兩個好朋友就一起睡著，夢到在月亮上的城堡。這座城堡只會出現在夢裡，如果你把眼睛閉起來，你也可以夢到這座城堡喔！

小仙子

從前有一個小仙子，她已經六百歲了。但在仙子的世界，她一點都不算老。她和其他的小仙子一起到森林裡的仙子學校，學習如何變魔法。

開學第一天，她得到一個有銀色鑰匙的魔術盒。她把魔術盒打開，裡面有兩樣重要的東西，這是仙子在變魔法的時候一定要帶著的，就是魔法棒和魔法帽。

變魔法這件事一點都不簡單。一開始，小精靈要把墨水印灑在牆上，再把它變不見。或者讓蜘蛛在空中飛，再把牠變成隱形。這實在是很不容易。

小仙子很努力的練習，這樣她就可以在她七百歲的時候參加魔法考試。

小仙子現在要實現一個小女孩心中最大的願望。小女孩希望可以得到一隻小狗，但是女孩的爸爸完全不答應，爸爸說：「什麼禮物都可以，就是不能養小狗！」

這天晚上，小仙子跳進小女孩爸爸的夢裡，她要耍點魔法，讓爸爸知道小狗有多麼有趣可愛。她舉起魔法棒，小聲的對爸爸說：「求求你送給你女兒一隻小狗。」她重複說了三次，口中唸著魔法咒語，然後，從爸爸的夢中消失。

隔天早上，爸爸說，小狗最適合當他女兒的玩伴。他帶小女孩到動物之家，選了一隻可愛的小狗。小女孩高興極了！但最高興的是小仙子，因為她的魔法考試過關了，得了滿分！

今天晚上，小仙子會送給你什麼好夢呢？

魔法蛋

　　巴斯提和他的爸爸媽媽騎著腳踏車到城堡郊遊。他們參加城堡的導覽活動，但這個導覽好像永遠不會結束似的。「如果我有兄弟姊妹就好了，這樣我就可以和他玩了。」巴斯提邊想邊打著大哈欠。他的爸爸罵他：「你快回神，巴斯提，不然的話，你就到外面等我們好了。」當參觀團隊走到下一個房間的時候，巴斯提偷偷溜走，想走自己的路線。他想，地下室一定更驚險，說不定還有什麼嚇人的東西呢！

　　這個地窖真的很神祕。巴斯提用他小小的手電筒照著前方，突然間，他發現一個很奇怪的東西：在角落裡有一個蛋。它充滿了神奇的光澤，比平常早餐吃的蛋還要重。

　　蛋裡面到底有什麼呢？會孵出東西來嗎？巴斯提充滿了好奇，他小心的把蛋放進他外套的口袋裡。他的父母已經在城堡門口等得不耐煩了。「快要天黑了，我們要快點往回騎了。」巴斯提小心的控制腳踏車把手的方向，往山下騎。回到家以後，他輕輕的把蛋包在毛巾裡，下面放著熱水袋，把蛋照顧得好好的。然後就上床睡覺了。

　　「早安，你這個懶惰蟲！」巴斯提瞇著眼睛往熱水袋的方向一看，蛋已經裂開了，在毛巾和蛋殼中間坐著一個小仙子。「終於有人發現我，讓我可以孵出來。」小仙子嘆口氣說：「我已經等了一百年了。」巴斯提很開心，雖然這個小仙子這麼小，還是可以跟他一起玩。

　　你是不是也等著明天和你的好朋友一起玩呢？現在快睡覺吧！

水精靈

　　小老鼠米克的年紀只有六週大，他和爸爸媽媽，還有其他十三個兄弟姐妹一起住在湖邊一個很小的老鼠洞裡。今天是他第一次可以自己出門，到附近走走。嗯，這附近一定有許多好玩的東西！他這兒聞聞，那兒吃吃，在樹枝堆和皂地裡跑來跑去，咕嚕咕嚕的喝著湖裡的水。他看到從岸邊游過的蝸牛、螃蟹和小魚。

　　突然間，水裡冒出一個很稀奇的動物，他游了過來，一直靠近小老鼠。然後，把圓圓的頭從水裡伸出來呼吸。米克瞪大了眼睛看著這個東西說：「我以為只有魚能住在水裡，但是你和我一樣用鼻子呼吸啊！」這個水中動物笑著說：「我不是魚，我是水精靈，我住在這座湖裡，但我也可以在陸地上生活！」

　　米克聽了很興奮，竟然有真的精靈跟他說話！「我們可以一起游湖一圈。」水精靈提議。「我不會游泳！」

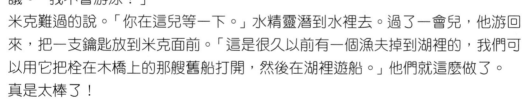

米克難過的說。「你在這兒等一下。」水精靈潛到水裡去。過了一會兒，他游回來，把一支鑰匙放到米克面前。「這是很久以前有一個漁夫掉到湖裡的，我們可以用它把栓在木橋上的那艘舊船打開，然後在湖裡遊船。」他們就這麼做了。真是太棒了！

　　米克和水精靈變成好朋友，晚上的時候，水精靈看著小老鼠回家，和他約好下次再見。

　　米克很累，他和十三個兄弟姊妹擠在一起睡著了。他第一次自己出去，這個探險真是太好玩了！

　　明天還會有什麼好玩的事等著他們呢？做個好夢，明天再告訴我喔！

小鐵驢

　　驢子拉斯姆斯的心情終於好多了。他住在城堡裡，每天，維莉達公主都會騎在他背上一起出去玩。不過，從上個星期開始，情況就不一樣了，維莉達得到她的新腳踏車，就不再理他了。在那些以前他們一起玩的路上，現在變成是維莉達和她的腳踏車。拉斯姆斯實在很想念他的好朋友。

　　拉斯姆斯在院子裡走來走去，覺得很無聊。這時候，他看見那輛腳踏車靠在牆旁。「你把我的好朋友搶走，是不是覺得很高興呢？」他有一點生氣的說。腳踏車在那兒一句話也不回答。拉斯姆斯往腳踏車走近一點，「嘿，我在跟你說話耶！」腳踏車還是不回答。驢子真想踢腳踏車一腳，但是，如果腳踏車被他踢壞，維莉達一定會生他的氣。驢子只好難過的再回到驢舍裡。

　　下午的時候，驢舍的門被打開，發出非常刺耳的聲音。維莉達跑了進來，她在拉斯姆斯旁邊的草堆上坐下來，用手摀住自己的臉。喔，維莉達哭了，她把頭靠在拉斯姆斯的脖子上說：「我和我哥哥吵架了。」驢子輕輕的用嘴推著維莉達，莉維達笑了，她說：「只有你最知道怎麼安慰我了！」她輕輕撫摸著拉斯姆斯耳朵後面的毛。

　　從那天開始，維莉達又開始騎著拉斯姆斯去草地上玩，腳踏車則停在城牆邊上。不過，對於一隻用鐵做成的驢子來說，這並沒有什麼大不了的。

　　如果明天早上你和你的好朋友都睡飽了，你的好朋友一定會很高興你們又可以一起玩了。祝你睡個好覺！

迷路了！

當小孩們在玩的時候，小精靈和小仙子總會看著他們，保護他們不會發生危險。

夏天到了，天氣很好，孩子們在森林裡玩躲迷藏。他們發現許多可以躲起來的地方，例如濃密的樹叢、小洞穴，還有可以爬得高高的大樹。馬克斯總是能找到最好的地方躲起來。現在，他又想要找一個新的地方，讓當鬼的小孩找不到他。

他先跑到棕樹前面，不過，那邊的灌木叢看起來也不錯，或者，另一邊的覆盆子樹叢更好。馬克斯跑過來、跑過去，總是沒辦法決定。他聽到當鬼的孩子大喊：「一、二、三，我來了！」

突然間，馬克斯站在一塊很大的空地，他驚訝的停了下來。嗯，他在哪裡？他是從哪裡來到這兒的呢？馬克斯左看右看，完全不知道這裡是哪兒。他的心開始蹦蹦蹦跳個不停。

在仙子王國裡，皇后正坐在她的寶座上，從魔鏡裡看著馬克斯，她可以感覺到馬克斯很害怕。為什麼這個孩子會迷路呢？難道沒有小仙子在他旁邊保護他嗎？

就在這時候，有個小仙子來到皇后的寶座前。她叫費拉，是所有仙子中最小的。其實，就是她負責照顧馬克斯。她後悔的說，她剛剛和螞蟻一起去喝果汁，所以沒有保護好馬克斯。

仙子皇后生氣的說：「你看看，馬克斯現在有多害怕啊！」她命令小仙子馬上去幫助他。小仙子立刻飛到空地上，馬克斯正哭著要找回家的路。小仙子灑下細細的銀粉，馬克斯發現了，他好奇的跟著銀粉往前走。最後，他終於又找到了他的朋友們。

晚上，馬克斯躺在床上，告訴他的泰迪熊他今天遇到的事情。這時候，費拉又飛過來，輕輕唱著搖籃曲。從現在開始，她一定會好好照顧馬克斯的。

你也不孤單喔，快睡吧！

約拿單，你真棒！

　　從前從前，有一個王國，在那個王國裡，所有的願望都可以實現。有一個仙子塔貝亞住在城堡裡，她常常站在城牆上看著每個地方，看看有誰需要幫忙。

　　她的僕人當中，有一隻又小又老的老鼠爺爺，叫做約拿單，他的工作就是站在城堡的高塔上，拿著望遠鏡，看看有沒有想快快實現願望的孩子。如果他找到這樣的孩子，就會跟塔貝亞報告。然後塔貝亞就會飛到許願的孩子那兒，幫孩子實現願望後，再回到城堡。

　　有一天晚上，約拿單看見一個小男孩傷心的坐在孤兒院的花園裡。這個小男孩很希望能得到一輛腳踏車。不過，沒有人記得他的生日！他的生日已經過了，他的願望落空了，所以他傷心的哭了。

　　約拿單移開望遠鏡，嘆了口氣。糟了，塔貝亞已經飛出去幫助別的孩子了，要等到明天才會回來！約拿單決定，自己去幫這個孩子。他從地下室搬出一輛最棒的腳踏車，然後騎著它出發。他的小腿因為不停的踩踏板而發抖，但他還是不放棄。一直騎到半夜，才到達孤兒院，輕輕的把腳踏車靠在籬笆上。

　　小男孩坐在黑漆漆的花園裡，還在難過著。突然間，他發現了這輛腳踏車，他跳起來，跑到籬笆邊，興奮的看著車子。約拿單微微的笑了笑，他雖然很累，心裡卻很開心。他帶著愉快的心情走回家。世界上最舒服的枕頭都比不上幫助別人所得到的快樂。

　　這樣的心情你一定也能明白。晚安！

精靈大師艾多瓦

　　艾多瓦已經超過一千歲了，他專門負責在湖旁的城堡嚇唬人。但是沒有任何人怕他，因為艾多瓦對這些客人特別親切。這件事讓精靈委員會很不高興：「如果你再不嚇唬人，你就要到湖邊來接受處罰。」精靈委員會主席嚴厲的警告艾多瓦：「明天開始，你負責在湖邊工作。」「可是我根本不會游泳啊！」艾多瓦抗議。在湖邊工作，代表他要去嚇唬那些小魚，每天都會被冰冷的湖水弄溼，會冷得全身發抖。「拜託再給我一次機會，我會向你們證明，人類會被我嚇壞的！」艾多瓦不停乞求，委員會只好勉強的答應。

　　「你一定要幫我！」艾多瓦跪下來求一個來城堡參觀的小女孩，小女孩了解艾多瓦的困難。第二天半夜，精靈委員會要確認艾多瓦是不是有辦法嚇唬人。他們聽到有客人在遙遠的地方發出害怕的尖叫聲：「救命啊，太可怕了！」

　　艾多瓦打扮成一個怪獸，脖子上帶著一把大鑰匙當項鍊，發出嘎嘎的聲音，然後把女孩子推到空中飄來飄去。這麼可怕的情況，連委員會主席都從來沒有見到過，自己也嚇得發抖。「到下一個一千年，我們都不必再來城堡檢查了，艾多瓦真是個厲害的精靈大師。」委員會主席做了決定，並且快速的離開。

　　「謝謝你借我化妝舞會的衣服。」艾多瓦抱著小女孩輕鬆的笑了笑。

　　你已經穿上睡衣了嗎？你的睡衣看起來一定不可怕，一定是軟綿綿的。現在趕快溜進被窩裡，好好睡吧！

漢尼伯好厲害！

當哥斯塔和他的爸爸媽媽住進旅館的時候，他很失望，「這裡一個小孩都沒有！」他嘟著嘴生氣的說：「這個假期一定會很無聊。」還好，爸爸把腳踏車帶來了，當爸爸媽媽在喝咖啡聊天的時候，哥斯塔可以在旅館周圍騎車。

旅館後面有一個牧場，驢子漢尼伯正在吃草，他看到小男孩騎車經過，很開心。「你想跟我一起出去遛一遛嗎？」漢尼伯問小男孩。小男孩很不以為然的說：「我已經長大了，不騎驢子了，我現在喜歡騎腳踏車。」說完後很快的騎著車走了。

哥斯塔騎第二圈經過牧場的時候，絆到路上的石頭，摔倒了。他不只膝蓋刮傷，腳踏車的輪子也摔凹了。「我沒辦法再騎了，怎麼辦呢？」哥斯塔絕望的大哭。

漢尼伯抓住機會，快跑跳過牧場的柵欄，跑近哥斯塔，用嘴輕輕推著他說：「我知道有一個地方，那裡有人很懂得怎麼玩遊戲。」漢尼伯神祕兮兮的說：「騎上來吧，我帶你去。」

「嗯，我也想知道。」哥斯塔跳上漢尼伯的背上。「抓緊嘍！」漢尼伯還在說話的時候就已經開始往前跑了，哥斯塔嚇了一大跳，沒想到驢子可以跑得這麼快。這條路上有很多石頭、樹枝和坑洞，根本不可能騎腳踏車。

過了一會兒，哥斯塔看到漢尼伯剛剛說的地方，在他們面前是一座破舊的老城堡。哥斯塔興奮的大叫：「喔耶！這裡真是太棒了！我們跟騎士打仗吧，你當我的戰馬！」

你可能已經想夢見城堡，夢裡還有驢子和小男孩在玩。你也想在夢裡跟他們一起玩嗎？那麼快睡吧！

仙子考試

　　小仙子蒂芬妮很興奮，因為她今天要參加仙子考試。如果考試通過，她就可以飛到小朋友那兒去，幫他們實現願望。她準時到達位在森林裡的考場，仙子老師已經在那兒等她了。

　　「好，第一個題目是：你要飛到杉樹的最頂端，然後再飛回來！」仙子老師告訴蒂芬妮：「我會計算時間。」蒂芬妮輕輕拍動她的翅膀，然後用最快的速度往上飛。當她一碰到杉樹的頂端，就立刻往回飛。「非常好！」仙子老師稱讚蒂芬妮的表現。「現在，你要把這塊石頭變成玩具。」

　　這就非常困難了。該怎麼做呢？蒂芬妮手指在發抖，她把魔法棒往右邊轉了轉，然後對著石頭點三下。「吱！吱！吱！」石頭變成一隻小老鼠。「喔！」蒂芬妮很不耐煩的叫著說：「我是想變別的東西。」仙子老師笑著說：「小老鼠的確很可愛，但牠不是玩具。你再找另一塊石頭，再試試看！」蒂芬妮心裡很不高興，因為這個考試她真的有好好準備，現在這種狀況，她一點都不喜歡。

　　仙子老師把手放在蒂芬妮的肩上，說：「要有信心，你可以做到的！」蒂芬妮再一次把她的魔法棒向左邊轉了轉，然後對著石頭點三下，變！石頭變成一隻小泰迪熊了。「太棒了，蒂芬妮！你做得真好！」仙子老師恭喜蒂芬妮：「現在，你可以飛到世界的每一個角落，把小玩具和甜蜜的美夢帶給孩子們ㄌ！」

　　說不定今天晚上蒂芬妮就會飛進你的夢中喔。嗯，快睡吧！

馴獸師雷歐

從前有一座古堡，裡面有一個動物園。每天都有很多遊客來動物園參觀，因為這裡的動物都很厲害。不過，小驢子雷歐卻覺得很無聊，因為其他動物都在睡覺，沒有人跟他玩。

終於，專門照顧動物的君特出現了，他一邊打開柵欄，一邊問：「雷歐，你餓了嗎？」就在這個時候，動物園入口方向有個聲音大叫：「救命啊，獅子逃走了！」君特一聽，馬上轉身跑了過去。因為太匆忙了，他忘了帶走插在鑰匙孔上的鑰匙。柵欄的門是開著的，「哇，機會終於來了！」小驢子高興的跑到獅子住的地方。

動物園的遊客都害怕的大聲尖叫，趕緊往出口跑。力大無比的獅子站在冰淇淋車前大聲吼叫。站在旁邊的小女孩嚇得不敢亂動，「請不要咬我！」小女孩跟獅子乞求。「我只不過是想吃冰淇淋！」獅子咕噥的說，不過小女孩聽不懂獅子說的話。

這時候，驢子來了。他用牙齒咬住冰淇淋機的把手用力往下壓，獅子就把他的嘴張得大大的，讓冰淇淋流進他的嘴巴裡。他滿足的吃下冰淇淋，舔舔嘴唇，說：「嗯，真好吃！謝謝你，驢子。」「好！現在請你回到你的柵欄去吧！」獅子乖乖的跟著驢子回到自己的柵欄，把門關上。

「你是我看過最勇敢的驢子！」君特驚奇的說：「從現在開始，你就是訓獸師雷歐，我帶你去沒有柵欄圍住的動物園，那裡有許多山羊。很多孩子都會去那兒看看你們，摸摸你們，你一定不會覺得無聊的。」

如果你現在就睡著，你一定會夢到勇敢的小驢子雷歐。試試看吧！

大班尼和小班尼

　　班尼每天都會騎著他的腳踏車去動物園。一年多前，他和爸爸媽媽搬到野生動物園附近，從那時候開始，動物園裡的人都認識這個黑頭髮的小男孩班尼。

　　班尼喜歡企鵝、老虎和海狗，在森林裡，驢子的家是他最喜歡去的地方。班尼可以在動物園裡待上好幾個小時，看著動物，跟他們一起玩。班尼覺得，跟驢子在一起一點都不會無聊，他很喜歡幫著動物園的漢娜阿姨一起餵動物吃東西，清理動物的大便。

　　有一天，漢娜給班尼一個大驚喜。前一天晚上，驢媽媽波拉生下一隻小驢子，波拉因為剛生完孩子，需要休息，沒辦法自己照顧小驢子喝奶。漢娜塞給班尼一個奶瓶，說：「小驢子現在需要一個保姆，波拉跟你很熟，如果你願意幫她這個忙，她一定會答應的！」

　　班尼小心的照顧驢子媽媽和小驢子，他把奶瓶靠近小驢子的嘴，小驢子餓得立刻把嘴湊過去，開始吸奶，過了一會兒，他就吃飽了。小驢子累了，幾分鐘之後，就在舒服的稻草堆裡睡著了。「咿呀！」波拉像對待好朋友一樣，用嘴輕輕的推了推班尼，班尼知道，波拉是在跟他說：「謝謝！」

　　「我們幫小驢子也取名字叫班尼，好嗎？」漢娜輕聲的問。班尼高興的點點頭。這個晚上，班尼夢到和他名字一樣的灰色小驢子。

　　你呢？現在你也在舒服的小床上睡個好覺，這樣你會長得又高又壯喔！

潛水小老鼠

很遠很遠的地方有一座湖泊，湖底下有一座高高的山，有個小仙子在山腳下蓋了一個屬於自己的水中王國。這個美麗的王國是用彩色珊瑚、海星、海帶、海草、貝殼和細沙做成的。小魚僕人們每天都在水中王國裡游來游去，希望找些特別的東西獻給仙子女王。

小魚沒辦法說話，他們只能用嘴吐出「啵！啵！啵！」的氣泡。在湖裡面，沒有人能和仙子女王說話，有時候她覺得實在無聊極了。你可能會想，仙子可以用魔法變出人來和她說話，這樣不就解決問題了嗎？不過，仙子國規定，仙子只能用魔法幫別人實現願望。

「我能做些什麼讓別人來和我聊聊天呢？」仙子心裡想。但她也不想隨便找個人來，她希望這個和她聊天的小東西很友善、很勇敢，而且聰明又靈巧。

這時候，她看見珊瑚後面有一把非常美麗的金鑰匙。「我知道我可以做什麼了！」小仙子命令石斑魚和比目魚去把金鑰匙拿過來。這兩隻魚拿著鑰匙過來，口裡「啵啵啵」的吐著氣。「不不不，不是給我的，你們把鑰匙放在湖底的石頭上。」仙子女王吩咐她的僕人：「要放在每個人都可以看得到的地方。」

金鑰匙放在湖底，閃閃發光。仙子女王坐在用螺類和貝殼做成的寶座上，向上望著湖面。會不會有人發現這把鑰匙，然後游進湖底來呢？湖邊只有幾隻蚱蜢輕輕的跳過去；還有微風吹過湖面，出現一點點漣漪。

正游過來的不是老鼠嗎？真的耶！小老鼠看到鑰匙發出的亮光，發現湖底的仙子王國，他瞇著眼睛、吐著氣，游過來了。

就在小老鼠快游到放金鑰匙的地方、也看到仙子女王的時候，他卻突然往回游了！仙子女王眼看著她可以聊天的機會就要消失了。這時候，她才想到，原來小老鼠在水裡是沒辦法呼吸的。

　　「沒問題，」仙子女王心裡想：「我可以幫小老鼠變出一對魚鰓，這樣他就不會窒息了，可以在水裡多待一會兒。」嗶鈴嗶鈴，變！成功了，小老鼠現在可以潛水到金鑰匙旁，來到仙子女王的面前。小仙子笑笑的看著小老鼠耳朵後面的魚鰓，小老鼠也笑了，因為他從貝殼鏡子裡看到小仙了幫他在背上多加了兩個漂亮的金魚鰭，讓他可以游得更快一點。

　　「太好了，可愛的小老鼠，歡迎你來！」小仙子說：「跟我說說老鼠王國裡發生的事吧！」小老鼠坐到女王寶座旁邊，先吃了幾條海參，然後開始說著老鼠王國的事情。他一直說、一直說……，他們兩個就這麼一直坐著，小老鼠說故事，小仙子仔細聽。

　　如果你也想知道他們兩個在說些什麼，你現在就躺在枕頭上，閉上小眼睛，仔細聽，你可能就會聽到一些細細小小的聲音喔。

半夜的偷車賊

　　放假的時候，克拉拉常和朋友一起騎車到公園玩。每天晚上回來，克拉拉都會把她的腳踏車好好的停在車庫裡。有一天早上，克拉拉發現她的腳踏車竟然不見了，她找遍家裡和花園的每個角落，最後，終於在附近森林裡的樹旁找到她的車子。

　　「怎麼會這樣呢？」克拉拉想不通：「我的腳踏車怎麼會在這裡呢？」她把車子騎回家。但是第二天，她的車子又跑回森林裡去。這讓克拉拉很生氣，她決定，一定要抓到這個偷車的傢伙。

　　到了晚上，她躲在車子旁偷看。過了一陣子，什麼事都沒有發生。就在她快要睡著的時候，她看到一個精靈騎上她的車子。克拉拉揉揉眼睛，真的是精靈準備騎她的車子，她馬上勇敢的站了出來，擋住精靈的路。

　　精靈嚇一跳，不好意思的看著克拉拉，說：「我知道啦，對不起。不過，我實在是太想太想騎腳踏車了。很久很久以前，我也有一輛自己的腳踏車！」克拉拉笑了，她從來沒聽說精靈需要騎腳踏車！她說：「好吧！晚上你可以騎我的車，反正我也用不到。但是，你要記得把車子再停回來這裡。」「我以我的『精靈格』保證！」精靈歡呼的大叫，然後踩著踏板往前騎。

　　隔天早上，腳踏車停在車庫裡，就像昨天約定好的一樣。現在，克拉拉可以安心的睡覺了。你也是！

是泰歐，不是泰迪熊！

你知道嗎？有時候，人會有一些自己一點都不想要的綽號，泰歐就是這樣。他的爸爸媽媽幫他取的名字是泰歐德，這個名字叫起來是長了一點，所以當別人叫他泰歐，他也覺得沒問題。

不過，一些幼兒園裡的小孩卻有別的點子，他們叫他「泰迪熊」。泰歐可就無法忍受這個小名了。當他聽到這個綽號時，他會大吼：「我是泰歐，不是泰迪熊！」不過，拉思和盧瑟他們可不管那麼多；相反的，當泰歐越生氣，他們就越故意大聲的叫：「泰迪熊，泰迪熊，過來跟我們一起玩嘛！」

今天，幼兒園規劃到湖邊郊遊。所有孩子都開心的在湖裡游泳、玩水。有人在岸邊大喊：「泰迪熊，泰迪熊，野餐準備好了！」

泰歐從水裡探出來，生氣的說：「如果你們再叫我泰迪熊，我也要幫你們取一些不好聽的綽號！」拉思笑著說：「好啊，好啊，那你要叫我什麼呢？」泰歐想了一下，冷笑著說：「叫你老鼠，怎麼樣？這個名字聽起來和泰迪熊一樣蠢！」拉思聽了，一句話也說不出來，盧瑟則在旁邊一直偷笑。

「那我叫你驢子，」泰歐轉身對著盧瑟說：「聽起來跟你的名字很像，不是嗎？」拉思和盧瑟發現，取綽號的確一點都不好玩。他們很不好意思的跟泰歐說，以後一定叫他「泰歐」。今天晚上泰歐終於可以輕鬆了，他不用再生著氣睡覺了。

你現在也可以放心了，因為你的綽號一定很可愛。

滿月的晚上睡不著

有一天晚上，馬立歐躺在床上睡不著覺。今天是滿月，明亮的月光從窗戶照進來，但月光實在是太亮了，亮得讓人得瞇起眼睛。馬立歐氣得把被子蓋在頭上，被子裡的確是暗多了，但是過沒多久，他在被子裡就沒辦法呼吸了。

馬立歐輕輕的走到窗戶旁，對著天空生氣的說：「月亮啊你實在比太陽還要亮，請你讓我睡著吧，不然明天我會非常累的。」

月亮好像一點都沒有聽到他說的話，反而繼續發出更亮的月光。馬立歐嘆了一口氣，他希望明天早上起床的時候他是很有精神的，因為爺爺奶奶明天要來看他們，他們要一起去城堡健行。爺爺還說，要請馬立歐吃一球超大的巧克力冰淇淋。

有人在敲窗子。馬立歐打開窗，一個小仙子溜了進來。「我聽見了，你沒辦法睡覺，」小仙子說：「我可以幫你，你許個願吧！」「是不是可以有一片烏雲過來擋住月亮呢？」馬立歐問。小仙子皺了皺鼻子說：「這個我可以辦到，不過，這麼做的話，會有許多晚上出來活動的動物就看不到路了。」「如果是這樣，那我就不要。」馬立歐說：「那你有什麼好辦法呢？」

「還是你想要一個深藍色的窗簾？就算是像今天這種月圓的時候，你都可以睡得很好。」小仙子說。「太棒了！」馬立歐覺得小仙子的辦法真好。小仙子彈了彈指頭，馬立歐的房間馬上就變暗了。當馬立歐口中還正說著「謝謝！」的時候，他已經躺在床上，沉沉的進入夢鄉了。

你的窗簾也拉好了嗎？這樣你一定可以睡得很甜的。

蘋果樹上的小仙子

　　娜蒂亞和她哥哥待在同一個房間，但整個房間的地上堆滿了哥哥的火車軌道，根本沒有空位可以給娜蒂亞玩。所以，她生氣的爬到蘋果樹上，那是她最喜歡去的地方。

　　「救命啊！」突然間，娜蒂亞聽到小樹枝裡有個很細小的聲音，但沒有人在那兒。「我在上面，快一點，我快掉下來了！」這個聲音又繼續說。娜蒂亞爬到樹頂，在細細的樹枝中間，看到一個小女生吊在那裡。「我動不了了！」她小聲的說。娜蒂亞想伸手去拉住小仙子，但樹枝搖來搖去很危險。咔拉！娜蒂亞停止呼吸，雙手緊緊抓住樹幹。「拜託，你不要又爬走了。」小女生發抖的說。

　　「你是誰？」娜蒂亞問。「我叫莉希，我是小仙子。」「我以為小仙子是童話故事裡面才有的。」娜蒂亞覺得很稀奇。但就算心裡很害怕，她還是決定要救小仙子。

　　娜蒂亞彎著腰，伸出手，用力拉著勾住小仙子的樹枝。咔拉！娜蒂亞才抓到小仙子，樹枝就斷了。當她們平安回到地上的時候，莉希說：「謝謝你幫我！現在，你可以許一個願望了。」娜蒂亞心跳得很快：「什麼願望都可以嗎？」「對，你可以許任何你想要的願望。」小仙子很確定的說。

　　娜蒂亞想都不想就說：「我希望得到一個有很多房間的城堡。」莉希揮動她的魔法棒，變！在蘋果樹上長出一個豪華的小城堡。

　　當晚上月亮出來的時候，娜蒂亞會站在陽臺上跟小仙子招招手，在蘋果樹那邊的樹頂也會搖來搖去。

　　你現在是不是也跟著小仙子搖進你的夢中呢？好好睡吧，明天見！

懶洋洋的一天

　　泰迪熊準備今天什麼事都不做，要偷懶一下。他爬上小船，在湖裡划著船。他帶著背包，裡面裝滿好吃的東西，有夾了肉片的麵包、蜂蜜麵包、三大片巧克力和一罐糖果。他吃得飽飽的，愉快的躺在船裡。船晃啊晃，晃得泰迪熊都睡著了。

　　他做了個很奇怪的夢：一開始，一個風精靈嘎啦的從天空飛過，發出「呼咿！呼咿！」的聲音。他手裡還牽著一個閃電精靈，他們兩個在空中跳著舞。後來，胖胖的雷精靈打著他的大鑼，天空傳來「碰！碰！碰！」的聲音。每個精靈看起來都很奇怪，泰迪熊笑到醒過來。

　　這時候，就像在夢裡，風發出威力，吹得泰迪熊起雞皮疙瘩。湖水起了波浪，拍打著小船！天空堆滿了烏雲！泰迪熊聽到一個熟悉的聲音：「泰迪，這裡！」是尼克！他站在岸邊，朝著泰迪熊大喊。

　　泰迪熊開始搖槳，他和越來越厲害的強風大浪對抗。雷聲隆隆的響著，大雨滴從天空落下來。不過，泰迪熊並不害怕，因為他知道，他很快就會跟尼克在一起了。泰迪熊用他的小胖手一公尺一公尺的往前划，「泰迪！泰迪！泰迪！」尼克為小熊加油。終於成功了，尼克把泰迪熊拉回岸上。

　　他們在雨中快跑回家，這時候，媽媽已經拿著毛巾等著幫他們擦乾身體。泰迪熊累極了，他一點都不想吃晚餐，只想趕快睡覺。

　　你呢？我的寶貝，你現在躺在安全的小床上，沒有雨，也沒有雷聲。快快閉上眼睛睡覺吧！

卡羅和費多林

　　驢子卡羅和小老鼠費多林一起到森林裡散步時，在落葉堆裡發現一輛生鏽的腳踏車，他們一起把腳踏車從枯葉堆裡拉出來。仔細瞧了瞧，車子雖然很髒，但看起來沒有壞掉，所以他們決定好好運用這輛車。

　　他們得先把車子弄乾淨。對驢子來說，這並不是件簡單的事，因為他沒有尖尖的爪子，只有驢蹄！不過，有些事對他來說是輕而易舉的。卡羅轉過身，讓小老鼠拿著他的尾巴當撢子抖掉車上的灰塵；他的長耳朵則拿來打亮座墊和把手。小老鼠用自己的尾巴把輪胎上的鋼條清理乾淨。終於，整輛腳踏車乾乾淨淨、像全新的車子一樣亮晶晶。他們決定試騎一下這輛腳踏車。

　　卡羅坐在座墊上，前腳跨過車把，用後面的腳來踩踏板。小老鼠坐在車鈴旁邊負責撥鈴。出發嘍！

　　路邊的小動物看到他們騎車經過都覺得很稀奇，也覺得很有趣，他們好奇的圍在旁邊看著他們。卡羅和費多林邀請他們站在後面的車架上，一起騎車。松鼠是第一個跳上車的，然後是兔子，最後，狐狸也上了車。大家一起騎車，實在是太好玩了！

　　騎了一陣子之後，卡羅覺得有些累。他下了車，跟其他動物說：「明天我們還可以再一起騎一大圈。」小老鼠調皮的又撥了一下車鈴，然後他們一起把車子靠在樹幹旁，躺進軟軟的青草裡。

　　卡羅一下子就睡著，費多林也接著睡了。他們兩個夢到一起騎車去郊遊，享受探險之旅。

　　你一定也會夢到好事喔，快快閉上眼睛吧！

誰來救救湖泊？

在老樹林和陡峭的岩壁中間有一座湖泊，被陽光照得閃閃發亮。但是湖水很髒，湖泊覺得很不舒服，因為有人把腳踏車丟進湖裡，腳踏車上的鐵鏽讓湖泊覺得全身發癢。湖裡的小魚也生氣的說：「這東西真的很煩，一定要想辦法把它拿走！」

抱怨完以後，他們都很委屈的游回海草裡去。

「但是，有誰能幫我們呢？」湖泊很懷疑的說。這時候，精靈福路克飛到湖邊，看著湖泊問：「這裡發生了什麼事啊？」湖水乾淨得像鏡子一樣，福路克看到湖底躺著一輛生鏽的腳踏車。「我不能游泳了，得把這個生鏽的東西拿走。」精靈嘆著氣說。湖泊因為傷心，水又變得混濁不清了。

「我去找人來幫忙。」福路克沿著湖邊飛，發現了桑雅，她正躺在氣墊上看書。「你會潛水嗎？」福路克問桑雅。看到精靈，桑雅一點都不害怕：「當然，我還會游自由式呢！」「那你能把腳踏車從湖底拿出來嗎？」福路克求著桑雅。「嗯，我需要一條繩子。」桑雅想了想說。精靈找了一條長繩子，把繩子的一端綁在岸邊的木板小橋上。小女孩深呼吸了一下，然後潛入湖底，把繩子緊緊的綁在腳踏車的輪子上。「嘿喲！嘿喲！」福路克和桑雅一起用力把車子從湖裡拉出來。湖泊高興的揚起一些小浪花到岸邊。

為了謝謝桑雅的幫忙，福路克讓桑雅坐在氣墊上，然後拉著氣墊在湖上滑行，快的連湖水都濺起水花了。

到了晚上，桑雅玩累了，就像現在的你一樣。祝你有個好夢！

驢子一點都不笨！

　　從足球訓練場回家的路上，華倫一定會經過森林。森林旁的牧場裡，驢子阿波羅常常在那兒悠閒的吃草。當華倫從阿波羅旁邊走過的時候，總會說：「驢子最笨了。」然後拿起小石子丟阿波羅，或去拉拉阿波羅的尾巴。其實，阿波羅一點都不笨，他是非常友善的，所以華倫對他惡作劇，他也不計較。

　　有一次，華倫經過阿波羅旁邊，對著他吐舌頭。華倫沒有發現，他褲子的口袋破了。當華倫做鬼臉的時候，有東西從他褲子的口袋掉出來。正當阿波羅想告訴華倫的時候，華倫早已經跑走了。

　　阿波羅走近柵欄，看到陽光下有一支發亮的鑰匙。坐在森林邊杉樹上的喜鵲也注意到這道閃光，他想得到這個亮晶晶的東西。喜鵲從樹上往下飛，用嘴咬住鑰匙，然後又拍動翅膀飛回樹上。

　　過了一會兒，華倫又出現在牧場旁，很失望的在草地上爬來爬去想找回他的鑰匙。阿波羅讓華倫花了點時間找，然後才對他說：「你在找你的鑰匙嗎？」華倫嚇了一大跳：「你會說話啊！」「當然，我一點都不笨！」阿波羅很平靜的回答。「那你知道我的鑰匙在哪兒嗎？」華倫問。「你看看喜鵲的巢，在那棵大杉樹上。」阿波羅對華倫說。華倫很俐落的攀著樹枝往上爬，沒過多久，他就拿到鑰匙了。

　　他跑向阿波羅，很友善的抱著他的脖子說：「我以後一定不會再對你惡作劇了！」他跟阿波羅約定。

　　我們也來做個約定，快閉上眼睛吧。晚安！

城堡狂歡會

　　城堡裡要辦一場熱鬧的花園狂歡會，小老鼠提妮在狂歡會舉行之前可有得忙了，因為她是園丁。她先把花園布置好，現在要開始割草了。提妮坐在最先進的割草機上，割草機在草地上快速轉圈，快得提妮都頭暈了。突然間，割草機發出刺耳的聲音，接著就冒起煙來；然後，割草機就不動了。「喔，不會吧！」提妮非常失望。

　　有一個小仙子發現提妮很失望，就問她：「怎麼了？」「我的割草機壞了，但是用鐮刀除草實在太慢了，我一定要在晚上之前把草割完！」提妮咕噥著說。「我正好可以解決你的倒楣事。」提妮說：「我剛剛在前面遇到幾隻羊，他們肚子很餓，正好可以過來幫忙。」小仙子飛了過去，過了一會兒，她就帶著羊群過來。「這是最棒的備用割草機，」小仙子說：「他們剛好可以幫上忙！」這群小羊一到草地上，就開始又咬又嚼的吃著美食。「謝謝你，親愛的小仙子。」提妮大聲的說：「我邀請你也參加我們今天的晚會。」

　　當月亮升到天空，草地上的草已經修剪得短短的，所有的小羊也吃得飽飽的，非常滿足。狂歡會可以開始嘍！

　　你是不是有時候也像小仙子一樣，有一些好點子呢？

　　祝你明天一切都很美好！晚安，祝你睡個好覺！

是誰躲在那兒？

　　莎拉去拜訪她的爺爺奶奶，她很喜歡爺爺奶奶家，因為房子後面有個小森林，她和她的泰迪熊在那裡可以盡情的玩。今天，莎拉要在森林裡撿一些乾樹枝，因為奶奶說要升營火，可以烤好吃的香腸。莎拉很快就蒐集到許多樹枝，但她不知道該怎麼把這麼多的樹枝扛回家。

　　莎拉聽到咯咯咯的聲音，她看了看泰迪熊，小熊乖乖的坐在地上，動都沒動。這笑聲是從哪裡來的呢？難道有人躲在樹叢後面嗎？莎拉往樹叢走過去，在樹枝中間看到一個綠色、會發亮的小人。

　　「你是誰？」莎拉問。

　　「我叫巴塔撒，是森林精靈。你為什麼需要這麼多的樹枝呢？」

　　「我奶奶要升營火。」莎拉說。

　　「你說得對。但是在森林是禁止升火的。」精靈嘆著氣說：「我從來沒看過營火呢！」莎拉有個好辦法：「你要不要幫我把這些樹枝搬回家？這樣你就可以和我一起坐在營火旁了。」

　　「好啊！」巴塔撒興奮的大叫。他們一起把樹枝搬回家，然後坐著等天黑。這時候，莎拉發現，她把泰迪熊忘在森林裡。這件事對巴塔撒可是一點都沒問題，他很快的飛到森林去，把泰迪熊帶回來。「謝謝你！有會飛的朋友真是太棒了！」莎拉說。

　　「有一個會烤肉的朋友也一樣棒！」巴塔撒笑著說，嘴裡咬著好吃的小香腸。他們一起享受溫暖的營火，直到樹枝都燒完為止。莎拉累得閉上眼睛，巴塔撒輕輕的把泰迪熊放在莎拉的手中，然後快樂的飛回森林。

　　你也抱著你的泰迪熊，把眼睛閉上吧。

沙弗林不要當小丑

　　小驢子沙弗林住在一個流動馬戲團裡，不過，他覺得住在城堡裡比較有趣，因為他一點都不喜歡別人嘲笑他。他長得很小，腿又彎彎的，根本沒有人想要騎他。他在馬戲團裡的工作是和小丑一起表演，他們推他、拉他，跳到他身上，再滾下來。觀眾給小丑拍手叫好，卻嘲笑驢子的笨樣子。沙弗林實在受夠了別人一直恥笑他。

　　有一天，沙弗林在表演時故意站著不動，觀眾發出噓聲：「噗！」小丑也生氣了。但他還是固執的站在馬戲團舞臺的中間，一直到馬戲團老闆過來關心。「怎麼了，沙弗林？」他問。「我要表演別的節目，不然，我就一直站在這裡，一公分我都不動。」小驢子說。

　　老闆一點辦法都沒有，但是老闆的兒子馬克斯知道該怎麼幫沙弗林。他把通往城堡的魔術箱鑰匙掛在沙弗林的脖子上，「你可以用鑰匙把箱子打開，」馬克斯告訴沙弗林：「會有一位女士從箱子走出來，而魔術師會被關進箱子裡。」沙弗林對這個重要的工作充滿興趣。在觀眾的掌聲中，他離開了舞臺。

　　表演結束後，沙弗林就像你現在一樣累。明天是新的一天，你又可以和你的玩偶玩各種遊戲。不過，你得先睡著才行。晚安！

為塔斯找一個家

「哇！」泰迪熊塔斯從輪船上掉到湖裡了。他全身溼透，沉到深綠色的湖水中。「救命啊！」他拚命喊，但他一直往下沉，沉到了湖底。精靈那波姆立刻趕了過來，他是這座湖的國王。「拜託，把我從這裡帶走。我應該住在小孩子的房間裡，我的家不在湖裡。」塔斯懇求著說。

那波姆把塔斯帶到岸邊，說：「就像你現在看到的，要幫你找一個新家實在不是件容易的事！」泰迪熊的絨毛上掛著綠色的海草，手臂上也被貝殼刮破了。精靈好心的幫泰迪熊弄乾淨，「現在你看起來好多了。」那波姆對自己做的工作很滿意。

「我希望有人可以抱抱我。」塔斯乞求著。那波姆把塔斯輕輕的抱在懷裡，說：「我知道有件事會讓你開心的，我的小乖乖！」然後，他帶著塔斯飛到一個老鼠洞。「你們來互相認識認識！」那波姆對著洞裡喊，一隻又一隻的小老鼠立刻從洞裡鑽出來。當這六隻小老鼠看到塔斯的時候，他們驚訝的說：「你真是好大喔！」「你是從天上掉下來的禮物！」老鼠媽媽朝著那波姆笑著說：「這些孩子早就該去睡覺了。」

「上床了！」塔斯大聲的說，他招呼小老鼠回到洞裡去。在床上，小老鼠們和塔斯抱在一起。「謝謝你！」塔斯輕聲的說。那波姆跟他揮揮手，然後消失在湖中。

你也緊緊的靠在枕頭上，像小老鼠靠著泰迪熊嗎？祝你有個好夢！

小仙子和泰迪熊逃走了

有一隻大手把泰迪熊布魯米從床上拉走，布魯米嚇壞了。「對史黛菲來說，這些玩具太舊了。」老泰迪熊已經被塞進塑膠袋，裡面還有其他玩具。「明天會有人來回收這些舊東西。」布魯米聽著史黛菲的爸爸說。史黛菲的爸爸走下樓梯，把袋子放在地下室，然後關上門。

「回收舊東西是什麼意思？」布魯米旁邊有一個小聲音問。「一定不是什麼好事！」布魯米氣呼呼的說。他認得這個小聲音，是小仙子，史黛菲玩城堡遊戲的玩具。「我要回到史黛菲那裡去。」小仙子說。「你用魔法把我們弄出去吧。」泰迪熊說。「沒辦法，」小仙子說：「我的魔法棒斷了。」「那你用魔法棒把袋子戳個洞。」這真是個好點子。他們拿著棒子，一起用力刺著袋子。袋子裂開一個洞，他們兩個努力的爬了出來。

喔，不好了，地下室的門是關著的。小仙子很瘦，還可以從門的木條縫中穿過去，但是布魯米太胖了。「等一下，我可以從你肚子裡拿出一點棉花。」小仙子說。她從布魯米身上的裂縫中取出一些棉花，布魯米的肚子就變小了，「這樣很癢耶！」布魯米笑著說。他們兩個成功的從門縫裡擠出來。布魯米把小仙子放在肩上，悄悄的往樓上爬。已經很晚了，他們敲敲史黛菲的門，希望她還沒睡！

「布——魯——米！還有小仙子！我到處在找你們！」史黛菲大喊，把他們兩個緊緊的抱在懷裡。當爸爸進來跟史黛菲說晚安的時候，他覺得很奇怪：「我還以為你會覺得他們太舊了？」「他們是我的好朋友。朋友永遠不會舊。」史黛菲告訴爸爸。

泰迪熊和小仙子被主人抱在懷裡，幸福的睡著了。你現在也睡了吧！

彩色的夢

　　月光照進沉睡的森林，精靈文森從花朵上飛過去，輕聲的說：「我真希望能看到你們的顏色，只要一次就好。不過，晚上到處都是灰色的。」「我可以幫你。」貓頭鷹蘇菲亞沙啞的說。「你是知道的，我根本沒辦法在陽光下，不然的話，我是會消失不見的。」文森難過的說。

　　「你來！」蘇菲亞張開她的翅膀，文森跟著她飛到一個樹屋。蘇菲亞進了屋裡，「這是孩子們今天蓋的。」貓頭鷹沙啞的說。「這能幫我什麼忙呢？」文森覺得很奇怪。「你過來看，有個小男孩留下了這個東西。」文森也擠進屋子裡，看到蘇菲亞說的那個塑膠管子。「這是什麼東西啊？」精靈覺得這個管子很有趣。「我看到，這個管子可以發出光線。」蘇菲亞很嚴肅的說。咔嚓！文森才輕輕的按了管子前面的按鈕，樹屋裡就出現一道圓圓的光線。「太奇妙了！」文森驚嘆的說。雖然文森已經一百多歲了，但他不知道有手電筒這種東西。「出去逛逛吧，你會更驚訝的！」蘇菲亞往外飛出去。

　　文森興奮的在森林裡飛來飛去，手電筒照亮所有的樹木、花朵，還有正在睡覺的動物。他終於看到那些綠得發亮的植物、掛在小樹枝上的紅色覆盆子，還有被手電筒照得閃閃發光的銀色蜘蛛網。在電池快完用之前，文森已經看到森林裡所有自然的顏色。他覺得好幸福。

　　現在，你也進入彩色的夢鄉吧！

馬戲團的小仙子

媽媽的生日快到了，莎蜜拉想送給媽媽一個特別的生日禮物。不過，莎蜜拉覺得，所有好的禮物都要花錢才買得到。這對爸爸來說很簡單，他要送媽媽一條新項鍊，他有錢可以買。姐姐琵雅要幫媽媽烤一個蛋糕，這個禮物也很棒。不過，莎蜜拉年紀還小，是不可以靠近烤箱的，真糟糕！

「那你畫一張圖送給媽媽。」爸爸建議。唉，去年莎蜜拉已經送給媽媽一張畫了，前年也是，真是無聊！媽媽說：「你什麼禮物都不用送，有你當我的女兒，我已經很高興了。我什麼都有了！」不過，莎蜜拉還是覺得不夠。

「你有好點子嗎？」莎蜜拉問她的朋友路薏絲。「我最喜歡的禮物是老鼠。」路薏絲回答。「可是，你已經有一隻老鼠了。」莎蜜拉說。「沒錯，我有一隻完美的老鼠。」路薏絲興奮的說：「你來看看，我的老鼠會做些什麼事？」她把老鼠從籠子裡抓出來，給牠一小塊起司。小老鼠站起來，聞著起司的味道。然後，路薏絲在老鼠和起司中間放了一些障礙物，老鼠越過障礙物，朝著起司的方向往前走。

莎蜜拉鼓掌說：「太棒了！」「然後呢？」路薏絲想知道：「你要送你媽媽一隻老鼠嗎？」「才不是呢，」莎蜜拉笑著說：「我有更好的主意，你來幫我！」

媽媽的生日到了，她收到一張手畫的邀請卡，上面寫著：「今天下午三點，在湖邊有精采的馬戲團表演，請你來欣賞。」

莎蜜拉在湖邊幫媽媽、爸爸和琵雅準備了毯子，讓他們舒服的坐著。

莎蜜拉穿上小仙子的衣服，因為穿上戲服才能上臺表演嘛。「第一個節目你們會看到一隻可怕的怪獸，但我們把牠馴服了。」莎蜜拉報告。路薏絲拿走蓋在籠子上的布，讓老鼠表演特技。然後，莎蜜拉接著表演空手騎腳踏車，雖然不是很完美，但她已經可以放手騎一小段路了。

媽媽、爸爸和琵雅都拍手叫好。「接下來表演的是，會在繩子上跳舞的小舞者。」路薏絲說完，把一條繩子放在地上。莎蜜拉平穩的走在繩子上，完全沒有摔下來。她得到如雷的掌聲！

「今天的壓軸節目是，壽星可以許一個願望！」莎蜜拉宣布：「這是小仙子的規定。」

「真好！」媽媽說：「我的生日願望是我的小仙子給我一個香吻，可以嗎？」當然可以！莎蜜拉跑到媽媽身邊，給媽媽一個超大的香吻。生日馬戲表演很成功，大家都很高興。「明年我還要表演魔法給你們看。」莎蜜拉保證。

小仙子現在把你變到床上去嘍，晚安！

忘記帶鑰匙

　　米莉安才六歲，但星期二和星期四她得自己一個人在家，因為媽媽這兩天都要在辦公室工作。媽媽會把飯先做好，放在桌上。盤子旁邊會放著一張紙條，上面寫著：「希望你有好胃口！」還加上媽媽的口紅脣印。

　　秋天到了，有一天下著雨，米莉安忘記帶鑰匙。當她從學校回來，卻沒辦法進去家裡！天氣冷，肚子又餓，站在家門口進不去，這真是糟糕透了！還好，米莉安常常有好辦法，她很快就想到一個好點子。她可以去唐雅阿姨那兒，唐雅阿姨的家位在森林裡的一條小路上，她可以在那兒等媽媽。

　　不過，唐雅阿姨不在家。米莉安馬上又想到第二個好主意。唐雅阿姨家旁邊有一個給動物住的棚子，驢子菲奇就住在那兒。米莉安走過去，推開門，門吱吱作響。菲奇已經聽到米莉安進來的聲音，牠很高興的叫了聲：「咿呀！」牠躺在稻草堆裡，米莉安靠在牠溫暖的肚子上。接著，她告訴菲奇剛剛發生的事：她從學校回家，遇到討厭的下雨天，還忘記帶鑰匙。菲奇聽得很認真。米莉安的聲音越來越小，越來越小，過了一會兒，她就睡著了。菲奇照顧米莉安，一直到她媽媽猜到她可能躲在這裡，過來接她回家。

　　你的小床是不是和驢子的稻草床一樣柔軟呢？這個我不知道。但我確定，你的被子一定像驢子的肚子一樣溫暖。

　　所以，你現在應該要睡覺了，你可能會夢到小驢子菲奇喔。

當月亮從天上掉下來

在一個溫暖的夏天夜晚,月亮高高掛在天空,輕柔的月光照在地上,也灑在湖面上。湖岸的木橋旁有一個漁夫的小房子,船也停在那兒,在波浪裡輕輕晃動。

尤利安住在小房子裡。正當他準備上床的時候,聽到一個很奇怪的撲通聲。他走到窗戶往外看,嚇了一跳,湖中間躺著月亮,月光從湖底穿過湖水照射出來!尤利安好奇的跑出去,看到木橋上坐著一個小仙子,嘆著氣說:「實在很抱歉,我把魔法密語給搞錯了。所以,月亮就從天上掉到湖裡了!如果我能待在月亮旁邊,我就可以把月亮再變回天上。不過,這個湖實在太大了,我沒辦法飛過去。」小仙子真的好失望,尤利安很同情她。

尤利安常常和爸爸在湖裡划船,他指著漁夫的小船跟小仙子說:「我有個好方法,可以很快就到湖的中央。」他們兩個坐上船,尤利安划向湖中央發出月光的地方。小仙子舉起她的魔法棒,口中唸著魔法密語。尤利安張大眼睛,想看看月亮如何從湖裡出來,穿過草地,再被掛回天空中的白雲旁邊。不久,月亮就回到它在天空中的老位子。

當尤利安爬回床上,他聽見爸爸說:「奇怪,剛剛有一刻的時間好像出現了月全蝕。」「你在做夢啊!」媽媽說:「我們趕快去睡覺吧。」

尤利安輕聲的爬上床,他夢到小仙子,也夢到月亮再度掛回天上,把它柔和的月光和所有人分享,也包括我和你。現在,請你快快入睡吧!

精靈時間

「叮！咚！叮！咚……」城樓的大鐘敲了十二下，這個時候，整個城堡都靜悄悄，沒有聲音了。精靈維克多開心的張開眼睛：「終於半夜了！」他飛快的跑去敲敲舊寶藏箱的蓋子，箱子裡躲著他的好朋友：「醒來喔，桑德拉，精靈時間到了！」

桑德拉從箱子裡鑽出來，往窗戶外看。「很好，今天晚上的星星很多，我們可以在外面嚇唬別人！」他們一起從陡峭的城堡階梯往下飄到庭院。

到了庭院，桑德拉像樹木一樣站在那兒不動，他指著對面牆上一個黑黑的東西說：「那……那是什麼？」維克多往牆看過去，也嚇了一大跳：「他是新來的，一定是個危險可怕的傢伙！」「會不會是一隻龍？」桑德拉輕聲的問。「也可能是壞精靈設下的陷阱。」維克多懷疑的說。

附近傳來一陣偷笑的聲音。在他們前面蹲著一隻小老鼠，笑著說：「那根本就是一輛腳踏車！是城堡管理員忘了騎走的。」「什麼是『叫他』車？」維克多問。小老鼠搖搖頭說：「是腳踏車，這是每個小孩都有的東西啊！」「我已經三百多歲了，根本不認識這種東西。」桑德拉噘著嘴說。

「好啦！腳踏車其實就跟馬一樣。」小老鼠解釋：「人可以騎著它往前走。」「它是動物嗎？」維克多驚奇的問。「不是，它不是真的動物。」小老鼠說：「而是用鐵做成的馬，或是用鋼做的驢子。人騎在上面要用腳踩上面的踏板。」「我們就試試看吧！」桑德拉興奮的說。

一開始，他們兩個一直摔下來。後來，他們就真的成功了，然後開心在院子裡繞著圈子騎來騎去。真是太好玩了！他們完全忘了此行的目的──嚇唬人這件事。他們一直騎，騎到天快亮了，才累得飛回自己的床上。

你現在也好好的睡吧，睡飽了，明天你也可以騎上你的腳踏車出去玩嘍！

淺藍色的雀斑

　　小仙子雷莉亞哭了：「為什麼我用魔法變出來的東西全部都是淺藍色的？」她的娃娃是淺藍色的頭髮，她有淺藍色的杯子、淺藍色的刀叉，所有東西都是淺藍色，連廁所的衛生紙都是淺藍色的。「不會有人想跟我玩的……。」雷莉亞哭個不停，因為所有她碰過的東西，都會得到一個淺藍色雀斑。「我不想單獨一個人。在世界的某個地方，一定有人會喜歡淺藍色的。」

　　雷莉亞開始尋找喜歡淺藍色的朋友。她在花園裡碰到了安娜，安娜正努力想把她的腳踏車修好。她戴上了工作用的橡皮手套，這樣，修理車子的時候就不會沾到腳踏車上髒髒的機油。「如果腳踏車的鏈條沒有掉下來，我早就在湖邊玩了。」安娜生氣的說。

　　「我可以幫你嗎？」雷莉亞問。「當然！」安娜很高興，她拿了另外一雙手套給雷莉亞。「對呀，戴上手套，腳踏車就算被我的手碰到，也不會出現淺藍色雀斑。」蕾莉亞一邊想，一邊戴上了手套。「我怎麼沒有早一點想到呢？」她們很快就把腳踏車修好。安娜讓雷莉亞坐在後座，立刻騎車到湖邊去。

　　當她們騎到了岸邊的時候，嚇了一跳，因為湖水都是灰色的。「我的顏色掉光了，沒有人喜歡在我裡面游泳。」湖泊抱怨的說。雷莉亞把手套脫掉，說：「我可以幫你！」她把手碰了一下湖水，整座湖立刻變成了淺藍色。「太謝謝你了！」湖泊開心的說。

　　不久，有許多遊客前來游泳，當他們看到戴著橡皮手套的小女孩和她的朋友在淺水的地方游泳，沒有人覺得有什麼奇怪！

　　蕾莉亞可能也會進到你的夢中。所以，如果明天早上你發現臉上有淺藍色的雀斑，可不要嚇一跳喔。

驢子和小豬存錢筒

　　恩斯特叔叔塞了一張鈔票到莫里斯的小豬存錢筒裡。「這個錢給你存著，讓你買想要的橡皮船。」莫里斯滿臉驚喜，他最大的願望終於可以實現了。這次的假期一定會過得很棒！

　　他的絨毛驢子卻很難過，因為如果莫里斯買了橡皮船，他會常常待在湖邊，而不跟他玩了！「我們一定要想辦法，不要讓他買橡皮船。」絨毛驢子小聲

的在存錢筒小豬的耳邊說。「對啊，如果我肚子裡沒有錢，我就一點也沒有用處了。」小豬嘟著嘴說。

　　天黑了，大家都已經睡著了，驢子從莫里斯的書桌抽屜裡拿出存錢筒的鑰匙。用鑰匙打開存錢筒，小豬肚子會很癢，他一定會笑出來。「小聲一點，不然莫里斯會醒來。」驢子警告小豬說。但是已經來不及了，小豬笑得太大聲，從櫃子掉到地上，打破了。

　　「發生什麼事了？」莫里斯眨眨眼睛，把夜燈打開。驢子誠實的告訴莫里斯，他為什麼要把錢從小豬的肚子裡拿出來。「你真是個傻驢子，」莫里斯態度堅定的對驢子說：「我當然會帶你一起去湖邊玩啊！」但是，驢子還是很傷心：「可是，小豬現在怎麼辦？」莫里斯安慰他說：「我們明天一起把它黏好，也帶它一起去湖邊。」驢子開心的閉上眼睛，夢到一艘顏色超酷的橡皮船。

　　今天晚上你也會夢到船嗎？祝你有個好夢。

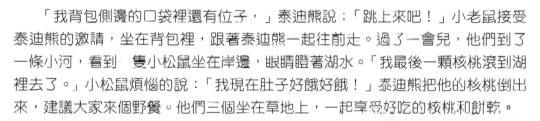

新朋友

　　泰迪熊一臉無聊的坐在櫃子上，嘆著氣說：「我真想有個朋友！」他想著，可以去哪裡找朋友呢？到馬路上，太危險；在花園裡，又害怕老鼠會咬他。或者，到森林去？這是個好主意，他到廚房裡偷拿了幾個核桃和幾片餅乾放進背包，出發了！

　　一走進森林，泰迪熊看到一隻老鼠，他摸著腳痛苦的說：「我的腳趾扭傷了，沒辦法走路了。」

　　「我背包側邊的口袋裡還有位子，」泰迪熊說：「跳上來吧！」小老鼠接受泰迪熊的邀請，坐在背包裡，跟著泰迪熊一起往前走。過了一會兒，他們到了一條小河，看到一隻小松鼠坐在岸邊，眼睛瞪著湖水。「我最後一顆核桃滾到湖裡去了。」小松鼠煩惱的說：「我現在肚子好餓好餓！」泰迪熊把他的核桃倒出來，建議大家來個野餐。他們三個坐在草地上，一起享受好吃的核桃和餅乾。

　　吃飽後，他們一起玩「猜動物」的遊戲。小松鼠先出題目，這種動物有大眼睛、歪歪小小的嘴巴，答案是貓頭鷹。換小老鼠，這種動物有鰭，住在水裡，答案當然是魚。泰迪熊出的謎語：動物體型很大，有灰色軟軟的毛，腳和馬一樣，有長長的耳朵。「呀呀！」他們身後傳來一陣動物的叫聲：「那就是我！」他們沒注意到有隻小驢子往他們這裡走過來，他聽到了這個謎語。「沒錯！」泰迪熊笑著說：「你留下來跟我們一起玩吧！」

　　他們一直玩到天黑。驢子載著他的好朋友們回家，小松鼠的家在大橡樹上，小老鼠回到老鼠洞，泰迪熊則回到房子裡。到了晚上，泰迪熊坐在櫃子上，他覺得很累，但卻很開心。他閉上眼睛，夢到了今天認識的好朋友們。

　　誰是你最好的朋友呢？今天晚上，你可能也會夢到他喔！

尋找願望的主人

從前從前，森林裡的藍莓園住著一個小仙子，她用牛角形狀的籃子裝著孩子許下的願望。每天早上，她帶著裝滿願望的牛角籃子飛出去，到了晚上，她幫所有的孩子們實現願望後，才疲倦的帶著空籃子回家。

有一天晚上，她正準備實現籃子裡的願望時，有一個小小的彩色願望掉了出來，它之前被卡在籃子最裡面的角落。這個願望的中間是彩色泡泡，邊邊有螺旋彩帶和笑笑繩。

這是誰的願望呢？月亮先生躲在雲後面，小仙子呼叫他來幫忙。「親愛的月亮先生，」小仙子乞求他說：「請你看一下這個，到底是誰許了這麼有趣的願望呢？」

月亮先生把雲移開，仔細的找了找。不久，月亮先生找到了一個小女孩。她躺在床上，著急的盼望能做個有趣的夢，但是，她怎麼睡都睡不著。

小仙子謝謝月亮先生的幫忙，她飛向小女孩，卻聽到小女孩大叫著：「我已經數過羊了，也喝了熱牛奶，也把手乖乖的放在肚子上，但是一點用都沒有。我希望我可以快點睡著，然後做一個好夢！」

小仙子飄到小女孩上方，然後把願望籃子裡的願望倒出來。一秒鐘之後，小女孩睡著了，她夢到螺旋彩帶，還有笑笑繩，整個晚上都出現彩色泡泡。

如果你睡不著，還是要閉上眼睛，說不定小仙子會來找你，實現你的願望喔。

小騎士西蒙

西蒙用一些木條蓋了一座城堡。現在他要帶著他的木劍，開始小騎士西蒙的冒險之旅。突然間，有東西掉到他的腳邊。「是誰想偷偷攻擊我！」小騎士西蒙大喊，他四處找，但一個人也沒有看到！他彎下腰，撿起一把鑰匙。這把鑰匙是玻璃做的，會發出彩色的亮光，看起來不像家裡的鑰匙。

「這是我的。」有個小小的聲音對西蒙說。西蒙往上看，看到一個小仙子在空中飛。她身上發出的顏色和鑰匙一模一樣。「這是你的鑰匙嗎？」西蒙想知道。「對，這把鑰匙可以打開我在彩虹上的城堡。我今天正忙著準備魔法比賽，鑰匙不小心從我的口袋裡掉出來了。」

「魔法比賽？」西蒙好奇的問。「是啊！我們仙子每年都會舉行一次魔法比賽，看誰是最厲害的仙子。我想到了，我們還需要一位評審。你有興趣當魔法比賽的評審嗎？」「當然嘍！」西蒙開心的回答。小仙子帶著他一起飛到彩虹上，好多小仙子正等著她開門。彩虹仙子把閃閃發亮的門打開，比賽馬上就要開始了。

銀仙子在天空變出銀色的煙火，西蒙興奮的看著。金仙子變的是金色雨滴，西蒙也很喜歡。風仙子變的飛龍也很棒。西蒙實在沒辦法決定，誰是今年最厲害的仙子。

「現在輪到我了。」彩虹仙子說完後，彈彈手指變魔法。西蒙的木頭城堡變成了一座真實的石頭城堡，還加上了護城橋和塔樓。「你是今年最棒的仙子！」西蒙高興的歡呼。他已經等不及馬上回到石頭城堡去。

你最大的願望是什麼呢？閉上眼睛，你就會夢到喔。

小心老鼠夾！

城堡裡住著一隻小老鼠，他很喜歡他的家，因為這裡總是有很多東西可以吃，像是巧克力、乳酪、肉片、核桃、麵條。小老鼠過著非常幸福快樂的日子。

有一天，城堡主人在城堡放了專門抓老鼠的老鼠夾。當晚上月亮升起時，老精靈安東看到了散布在每個角落的老鼠夾，他決定立刻去幫助小老鼠。他不能有任何遲疑，因為小老鼠已經出來散步，正在到處找吃的東西。

那不是巧克力嗎？小老鼠高興的跑過去。安東趕緊用他的精靈手拍了一下老鼠夾。「咔拉！」老鼠夾的夾子彈了回去，現在已經沒有危險了，小老鼠可以安心的吃著老鼠夾上的巧克力。咔拉！咔拉！咔拉！安東把其他所有老鼠夾上的彈簧都彈開，小老鼠放心的吃著老鼠夾上的巧克力和小麵包。

第二天早上，城堡主人想看看是否有老鼠被抓。但是，他發現老鼠夾上的食物都被吃光了，而老鼠夾上竟然沒有任何一隻老鼠！

「這個辦法一點都沒用。」主人說：「這些老鼠實在太聰明了。」他決定讓這些小老鼠也成為家裡的一份子。從此之後，小老鼠過著光明正大的日子，不用再躲躲藏藏了。每天晚上，小老鼠都高高興興的在整個城堡裡跑來跑去，蒐集好吃的食物。

不過，他們只會出現在你睡著的時候。噓，小老鼠已經在等著你了！

看誰比較快

費歐娜高興的在幼兒園裡騎著她的腳踏車，其他小朋友好奇的圍在她旁邊。費歐娜說：「這輛腳踏車比風還要快！」「才怪！」布蘭達說：「我的驢子瑞可比你們還要快一千倍！」「我倒著騎車都可以贏過你們家那隻跛腳的驢子！」費歐娜笑著說。「那就來個比賽，看誰比較快！」有個小女孩說。「好耶！」大家都同意。「好主意！」費歐娜也覺得。「贏的人可以得到什麼？」布蘭達問。費歐娜說：「輸的要幫我清理腳踏車！」「你會很高興你可以幫瑞可刷毛的！」布蘭達也回了費歐娜一句。

「就這麼說定了，星期六我們湖邊見！」費歐娜說。

到了星期六中午，幾個孩子已經等在湖邊，他們是來加油的。比賽的規則是要繞湖一圈。「準備好了嗎？1、2、3，開始！」比賽一開始，路很平坦，費歐娜和她的腳踏車很明顯的占了上風；瑞可看起來沒什麼興趣，布蘭達很失望，但還是要趕著瑞可往前跑。

接下來的這段路是草地，瑞可最喜歡在草地上奔跑了，牠飛快的跑著，遠遠超過了費歐娜。費歐娜的輪子卡在爛泥巴裡的小水坑，她氣得大罵。這時候，瑞可竟然停了下來，吃著清脆多汁的青草，這正是費歐娜超前的好機會。到了最後一段路，兩邊幾乎是齊頭前進，不分勝負。

「誰贏了？」布蘭達到終點的時候上氣不接下氣的問。所有的孩子一動也不動的站著，聳聳肩說：「你們一樣快！」所以，費歐娜得自己清洗沾滿了泥巴的腳踏車；布蘭達也要自己把瑞可洗乾淨。

「還是很好玩，不是嗎？」費歐娜對布蘭達笑了笑。「當然嘍！」布蘭達也開心的對著費歐娜微笑。到了晚上，她們兩個都累得呼呼大睡。

你今天是不是也跑來跑去，還是到處騎腳踏車呢？那麼，今天晚上你一定也會睡得很好！

探險家菲力

　　菲力是個充滿好奇心的小男孩，他什麼事都想知道答案。他希望長大以後可以當研究員，坐船到不同的海洋去；或者，飛到外太空；甚至到月球去。他聽說，站在月亮上看，地球像一顆藍色的彈珠，他想要去看看到底是不是真的。

　　菲力出門的時候，一定會隨身帶幾樣重要的東西：一根木棒、一支鏟子、一個可以密封的塑膠袋、一支手電筒、一團線、一本筆記本、一枝筆、一顆蘋果，還有一個放大鏡。因為沒有人知道，路上會發現什麼可以研究的東西。

　　放大鏡是菲力覺得最神氣的東西，那原本是爺爺拿來看郵票的，後來爺爺送給了他。菲力覺得，當爺爺是最厲害的一件事，他長大以後一定也要當爺爺。

　　今天，菲力要去森林。對研究員來說，森林是全世界最棒的地方，在那裡，所有的東西都可以研究。菲力才走進森林，就差點被路上的小土堆絆倒。到底是誰在路的中間堆了小土堆？菲力左看右看，他發現小土堆在動！他拿出放大鏡一看，哇，有好幾百隻螞蟻。第一眼看的時候，這些螞蟻好像是一些到處亂跑的小昆蟲；但是當菲力看了一段時間，他了解了所有螞蟻的工作：有一些螞蟻不休息的搬著松樹的針葉，把土堆愈堆愈大；另外一些螞蟻則負責搬運食物，把種子、果子和死掉的蟲子搬到牠們的洞穴裡。「我一定沒辦法像牠們一樣，一口氣搬這麼多東西。」菲力心裡想。

　　他繼續往前走，發現一根鳥的羽毛，有著淺藍色和黑色的條紋。這是誰的羽毛呢？他一定要回去問爸爸！他小心的把羽毛放進袋子裡，然後把他撿到羽毛的地點記在筆記本裡。

　　突然間，他聽到有人大叫，菲力趕緊跑過去，一定是有人需要幫忙！他認出那是牧場草地上的驢子。菲力想了想，會叫這麼大聲一定是很痛。那驢子是不是哪裡受傷了呢？他走近一看，發現驢子把後腳抬起來。嗯，這是第一個線索！菲力帶著手電筒和放大鏡，從柵欄鑽過去。驢子一直動來動去，菲力摸摸牠，給牠蘋果吃。當驢子咬住蘋果的時候，菲力趁機仔細看看牠的蹄。果然！蹄裡插著一根刺，難怪牠這麼痛！太好了，菲力用身上的鏟子把整根刺拔出來。

好了，最痛的部分已經過去了。菲力在驢子耳朵後面說：「我覺得應該沒事了，可愛的驢子。不過，為了保險起見，我還是會告訴你的主人，好嗎？」驢子點點頭，好像聽得懂菲力說的話。

　　回到家，爸爸告訴菲力，那根藍黑條紋的羽毛是松鴉這類小鳥的羽毛。爸爸說：「好好保存，這是很特別的羽毛！因為淺藍色的小鳥羽毛是很少見的！」

　　過了一會兒，上床的時間到了。「今天真是令人興奮的一天！」菲力想：「或許我可以當動物研究員，或者是醫生，也可以當動物的醫生。嗯，當動物的醫生很不錯！」

　　你長大後要做什麼呢？閉上眼睛，你會夢到的。

調皮的
小老鼠史必提

　　放在樓頂上的玩具城堡生氣的說：
「我現在不只破破舊舊，還髒兮兮的！」調皮的小老鼠史必提住進城堡裡，把城堡搞得亂七八糟。「史必提不只從來沒有擦灰塵，」城堡向泰迪熊抱怨說：「而且他還把東西到處亂丟！」

　　泰迪熊想幫城堡的忙。當他看到小老鼠從城門探出頭時，泰迪熊生氣的對他說：「你最好注意你的態度，不然你會被趕出去的！」「誰要把我從這裡趕出去呢？」小老鼠調皮的問。「就是在下我。」泰迪熊威脅他。「哈！」小老鼠大笑：「你抓不到我的。」說完後，小老鼠就躲進城堡裡。

　　泰迪熊太胖了，沒辦法進城堡抓小老鼠。「你等著看吧！」泰迪熊大叫。他走到娃娃車旁，輕聲的說：「小仙子，你睡了嗎？」小仙子的聲音從娃娃車裡傳出來：「什麼事，泰迪熊？」然後，他們兩個竊竊私語著，還不時的發出笑聲。

　　接著，泰迪熊走回城堡，在城門口大叫：「史必提，有人找你！」小老鼠嚇得從床上跌下來，有一個很小的聲音對他說：「因為你不收東西，不擦灰塵，到處搞得一踏糊塗，所以我來了。」史比提嚇得眼睛張得大大的，在他面前站著一個小仙子，威脅的拿著魔法棒揮來揮去。

　　「如果你不馬上搬走，我就把你變成一隻髒兮兮的臭老鼠！」「不要！」史必提大叫。他一想到以後要拖著長長的大尾巴在垃圾堆裡生活，就全身發抖。他立刻跳起來，很快的逃走了。

　　城堡開心的道謝：「親愛的小仙子，如果你願意，歡迎你搬進來住。」「我當然願意！」小仙子說：「因為你是最棒的。」

　　小仙子在城堡裡睡得很香甜。你在你的小床上一定也是這樣。

費迪南和紅蘿蔔

　　驢子費迪南在森林的牧場裡懶洋洋的吃著青草，如果能這樣安安靜靜的生活，實在是太美好了。不過，昨天牧場來了度假的遊客，是一對父母和他們六歲的女兒安娜。安娜以為費迪南像馬一樣可以騎著跑！她一直騎在費迪南的背上，大叫：「跑啊！快跑啊！」不過，費迪南沒有跟著做，牠一動也不動。安娜覺得很無聊。

　　費迪南仔細聽，安娜又過來了嗎？沒錯，她正騎著腳踏車過來，帶著一條繩子。費迪南沒看錯吧，安娜竟然把繩子套在牠的脖子上。「恰！」安娜命令：「跑啊！快跑啊！」費迪南跑得氣喘噓噓。牠又不是拉車的馬，牠生氣的轉身就走。

　　這是什麼東西啊？牠發現鼻子前有一根紅蘿蔔！費迪南往前一步，想吃紅蘿蔔。牠就快要咬到了！牠越走越快、越走越快，然後用跑的，一直追著紅蘿蔔。牠完全沒想到，其實是小安娜拿著紅蘿蔔。

　　牠終於搞清楚：這根紅蘿蔔是掛在一根樹枝上，安娜拿著樹枝，把紅蘿蔔垂在牠眼前。牠跑得再快，也咬不到紅蘿蔔。牠氣得停下來不跑了。

　　「鬧你的啦！」安娜大笑，從腳踏車下來。她把紅蘿蔔取下來，拿給費迪南。嗯，太好吃了！「沒有人比安娜還要淘氣！」牠心裡想。安娜對費迪南笑了笑，費迪南也對她眨了眨眼睛。今天晚上牠一定會夢到牠的新朋友和許多好吃的紅蘿蔔。

　　今天晚上你也會夢到你的好朋友，還有許多可以一起玩的遊戲。

釣到一輛
腳踏車

　　有人把一輛不想要的腳踏車直接丟到湖裡面，從那時候開始，這輛腳踏車就傷心的停在湖底。他常常夢到和別的腳踏車比賽，或者，有小孩騎著他到處去玩。

　　腳踏車哭不出來，他只能難過的和踏板相依為命，當他隨著水波輕輕的搖來搖去時，水面上也跟著起了小小的漣漪。有一個小仙子剛好飛到湖邊，發現了腳踏車。「你發生了什麼事啊？」她問。「唉，」腳踏車嘆口氣：「我不想再一直待在水裡了！」小仙子想了想，說：「其實我的工作是幫小孩實現願望，不是幫腳踏車。不過，我想想看我能做些什麼！」接著，咻的一聲，小仙子就飛走了。「很好，」腳踏車失望的說：「小仙子是來過了，但什麼好事也沒有發生！」

　　到了下午，腳踏車看到湖面上有一個黑影，一艘小船划了過來，有人拋出了釣魚線。「這是我的大好機會！」腳踏車心想，他讓釣鉤扣在他的後車輪上。

　　「有魚上鉤了！」腳踏車聽到有人歡呼大叫。終於，他從湖底被拉出來。船上的人看了腳踏車說：「喔，是輛舊舊的腳踏車，把它再丟回湖裡吧！」「喔，不要！」腳踏車心裡想。「喔，不要！」那位先生旁邊的太太喊著說：「哈利一直希望能得到一輛腳踏車。把這輛車重新漆上顏色，看起來一定跟新的一樣！」

　　這對父母把腳踏車帶回家，漆上油漆，在鏈條上加了機油，把煞車修理好，然後把車子送給兒子哈利。「喔耶！這是全世界最漂亮的腳踏車！」哈利高興的大叫。他馬上坐上車墊，騎著車出去玩了。這也是腳踏車一直以來的願望。

　　也祝你有個美好的夜晚！

耶洛尼吹喇叭

　　小老鼠耶洛尼過生日，所有的動物都來幫他一起慶祝。驢子巴斯提跟耶洛尼說：「生日快樂！」然後給了他一個大盒子：「這是我們送你的禮物。」耶洛尼高興的打開禮物，其他動物也跟他一樣開心。「是一支喇叭！」耶洛尼開心的大叫：「這是我一直想得到的禮物！」

　　不過，當耶洛尼開始吹喇叭，大家就不再那麼高興了。「叭！啦！咻──！」這聲音聽起很恐怖，大家都把耳朵搗起來。

　　小老鼠日日夜夜不停的練習吹喇叭。「請你不要再吹了！」巴斯提抱怨的說。「為什麼？禮物是你們送的耶。」耶洛米說：「我是音樂家！叭！啦！咻！」

　　巴斯提苦惱的坐在湖邊。耶洛尼在棚子裡繼續練習吹喇叭，完全不想休息。湖旁的木橋旁停了一艘汽船，船長上了岸。巴斯提把他的煩惱告訴了船長，問他：「你有什麼辦法嗎？」「有啊！」他回答：「我需要有會吹喇叭的人來幫我，因為我船上的汽笛壞了。」「這真是個好辦法！」驢子叫著說，然後跑回棚子裡去。

　　「你想辦一場音樂會嗎？」驢子問小老鼠。耶洛米驚喜的說：「你是說，我已經吹得很好了嗎？」「當然嘍！」巴斯提拉著小老鼠和他的喇叭到湖邊的汽船上，跟他說：「船要靠岸的時候，你就可以演奏了。」耶洛米立刻高興的吹著他的喇叭：「叭！啦！咻！」只有當汽船晚上停在港口，大家才終於有安靜的時候。

　　就像現在一樣，你也可以好好的睡覺了。晚安！

波梅爾與小精靈

　　泰迪熊波梅爾拖著疲累的腳步走在馬路上，因為走了太多路，他的腳已經受傷了。莎琪亞在野餐的時候把他給弄丟了，波梅爾知道，莎琪亞沒有他會睡不著。「現在已經這麼晚了，我要怎麼做才能準時回到家呢？」波梅爾很煩惱。

　　「你還在這裡做什麼？」波梅爾聽到一個很低沈的聲音在問他，一個小精靈擋在他面前。「莎琪亞忘了把我帶走了，」波梅爾說：「我一定要趕快回家，不然莎琪亞會睡不著覺。」「睡覺？」小精靈疲倦的嘆口氣說：「我已經兩個星期沒有睡覺了。我住的城堡在整修，吵得我沒辦法睡。」「連晚上也在整修嗎？」波梅爾覺得很稀奇。「晚上沒有，不過小精靈都是早上睡覺的。」他打著哈欠說：「我告訴你一個辦法，」波梅爾說：「你帶我回家，我就告訴你一個在白天睡覺不會被打擾的地方。」

　　於是小精靈把泰迪熊舉高，帶他在空中飛翔，一直飛到莎琪亞的窗前。他們運氣很好，窗子是打開的。波梅爾爬進房間，很快的走到莎琪亞的床上。莎琪亞非常高興的把泰迪熊抱在懷裡：「你終於回來了！」

　　莎琪亞一下子就睡著了。波梅爾就帶著小精靈到頂樓去，那裡有一張莎琪亞小時候的嬰兒床。「這真是太棒了！」小精靈大叫，高興的在床上跳來跳去。「不管什麼時候，你都可以睡在這裡。」泰迪熊說。小精靈充滿感激的抱著泰迪熊，說：「今天晚上我還要出去嚇唬嚇唬別人。不過，我已經期待明天早晨快點來，我終於可以好好的睡一覺了。」

　　親愛的孩子，所有人都跟你一樣是晚上睡覺，現在請閉上眼睛，快睡吧！

偉大的魔術師帕斯卡

帕斯卡長大以後想要成為一位魔術師，所以他無時無刻都拿著他的魔術箱在練習。現在，他已經可以讓一張撲克牌在空中飛，或是把一支鑰匙變不見。時候到了，他準備舉行第一次的魔術表演。帕斯卡邀請了家人和他所有的朋友到森林旁的一塊空地。

帕斯卡打開一張折疊桌，把表演魔術要用的東西放在上面——魔術棒、一頂帽子、一塊布和一支大鑰匙。好，現在可以開始了。

不過，當帕斯卡看到觀眾的臉充滿著期待時，他突然緊張起來。他用發抖的聲音宣布：「一、一、一開始，我要把鑰、鑰、鑰匙變不見……。」帕斯卡把鑰匙拿在手上給大家看，然後，他拿起一塊布蓋住手和鑰匙。接著，他揮動魔術棒，嘴巴唸著一串密語。但是，他實在是太緊張了，完全忘記該怎麼變魔術，他覺得自己快要出糗了。

帕斯卡完全不知道，樹的後面站著一個小仙子，小仙子知道帕斯卡平常練習魔術練得很好，只是現在太緊張了。所以她揮動她自己的魔法棒，幫助帕斯卡。當帕斯卡把手上的布打開的時候，他嚇了一大跳，他的手上什麼東西都沒有！

鑰匙真的不見了！觀眾都熱烈的鼓掌叫好，這讓帕斯卡有了新的勇氣。接下來的魔術表演，他都可以自己完成，不需要幫忙。

小仙子笑了笑，她一定不會告訴任何人，她幫忙了第一個表演節目。

我也祝你有個甜甜的美夢，晚安！

救生員波波

「喔咿──喔咿──水上警察來了！」小老鼠波波大喊。他丟給瓢蟲一個救生圈，然後把瓢蟲拉到船上。瓢蟲喘著氣對波波說：「謝謝你！」「不客氣，這就是我們救生員的工作啊！」波波很神氣的說。船靠到岸邊的木橋，他扶著已經沒有力氣的瓢蟲下船，「你先躺下來休息吧，」波波說：「等到你覺得好一點再起來。」他很細心的把瓢蟲放在躺椅上，然後幫他蓋上一張衛生紙。

有緊急情況！水面上的浮筒警報器又發出聲音。波波一看就知道發生什麼事：驢子葛瑞蘇的腳在深水裡瘋狂的亂踢。波波立刻跳上船，解開繩子，衝過去救驢子。「我被卡住了。」葛瑞蘇很害怕，上氣不接下氣的說。波波戴上潛水面罩，潛到水裡去。湖底停了一輛破舊的腳踏車，驢子的尾巴被纏在輪子的鋼絲裡。

波波馬上咬斷驢子尾巴上的毛，並小心不要被驢子的腳踢到。好了，現在驢子被救起來了。「波波，你是我的救命恩人！」葛瑞蘇鬆了一口氣，他向波波道謝，接著，他從船上被送到岸邊。

今天波波可累壞了，他高興的上床睡覺。

你今天是不是也和波波一樣做了很多事，很累呢？好好睡一覺吧！

瑪雅和森林裡的驢子

一個夏天的午后，瑪雅帶著她的泰迪熊一起去森林採覆盆子。她急著想去採這些好吃又香甜的水果，所以完全忘了告訴媽媽她要去森林。

一走進森林，他們驚奇的發現眼前的樹叢裡站著一隻驢子，正高興的吃著一顆又一顆的莓子。「找完全不知道，原來驢子也喜歡吃覆盆子！」瑪雅覺得很稀奇，「我也不知道，小女孩竟然可以自己一個人在森林裡到處遊蕩。」驢子回瑪雅的話。

「嗯！你說得沒錯。」瑪雅突然緊緊的抱著泰迪熊，眼淚一顆一顆從臉頰流下來。驢子驚訝的看著瑪雅，問：「你為什麼哭呢？」驢子很想知道。「我忘了告訴媽媽我到這裡來了，她一定會很生氣。我現在該怎麼辦呢？」驢子想了一卜說，「好吧，」驢子一邊甩掉身上的莓子，一邊說：「來，找帶你回家。」

瑪雅從來沒有騎過驢子，但是她還是鼓起勇氣騎上去。驢子上路了。風吹著瑪雅的頭髮，她緊緊抓住驢子毛茸茸的鬃毛，坐在驢背上搖來搖去真有趣。她高興的尖叫，騎驢子真是太好玩了！

當瑪雅回到家，她的媽媽已經站在門口等她，想要好好教訓瑪雅。但是當她聽到瑪雅和泰迪熊的笑聲，她也不由自主的跟著笑了起來。只有驢子沒有笑，因為他不是隻有幽默感的驢子！

不過，當媽媽餵了驢子吃東西，晚上還幫他準備溫暖舒服的地方睡覺，驢子還是開心的笑了。

你是不是也有一個溫暖舒服，可以睡覺的地方呢？現在就好好睡覺吧！

在月光下游泳

　　馬克很喜歡上學，因為他的寄宿學校是在一座城堡裡。不過，學校有些規定他一點都不喜歡，例如，只有當老師在場的時候，他們才能到池塘裡游泳；但是，老師很少會到池塘邊，而馬克是那麼喜歡游泳！

　　有一天晚上，馬克睡不著覺，他眼睛張得大大的看著窗外。月光很明亮，照著池塘閃閃發光，非常吸引人。馬克忍不住抓起他的白色浴巾，準備溜到外面去。他不小心撞到彼得的床，把彼得吵醒了。「待在房間，晚上我們是不可以出去的。」彼得小聲的說。不過，馬克根本不在乎。

　　在池塘裡游泳實在太棒了。當馬克從水裡出來的時候，他發現衣服不見了。「一定是彼得故意惡作劇，」馬克生氣的說。「還好，他還把毛巾留下來。」馬克把大毛巾披在溼溼的頭髮上，把自己完全包裹在毛巾裡，然後，跑回城堡。

　　這時，宿舍管理員剛好把門打開，慘了！他一定會發現馬克，馬克一定會被罵慘的。

　　但是，怎麼會這樣呢？管理員居然睜大眼睛，指著馬克大叫：「救命啊！救命啊！是精靈！」說完後，他就轉身跑走了。馬克趁機趕緊溜回房間。他在鏡子前看著自己的樣子：披著白色的毛巾，看起來真的有點像精靈，難怪管理員會被他嚇到。他笑了笑，「明天再叫彼得把衣服還給我，我現在實在太累了。」

　　你也累了嗎？閉上眼睛，好好睡覺吧！

壞心魔法師亞力

桑娜是這附近最漂亮的小仙子，這件事壞心魔法師亞力當然也知道，亞力想跟桑娜結婚。「絕對不要！」桑娜拒絕亞力的求婚。於是亞力把桑娜關在他城堡的高塔裡，並且在門上加了三道鎖。亞力把鑰匙串在繩子上，掛在自己的脖子。「你叫吧，」亞力對桑娜說：「森林裡絕對沒有人會聽到你的叫聲！」桑娜難過的從早哭到晚。

桑娜天天哭，哭到城堡的小老鼠提歐帕都受不了。有一天晚上，當亞力呼呼大睡的時候，小老鼠從牆壁裡鑽出來，爬到亞力的床上，小心的把繩子咬斷。他拿著鑰匙，跑到高塔去。

提歐帕很快就把門打開，「你自由了！」他對著小仙子大叫。桑娜覺得小老鼠很勇敢；不過她沒辦法高興起來，「亞力一定還會到處找我的。」桑娜難過的說。「那我們來騙騙他。」提歐帕說。於是他們一起合作。

「大魔法師！」第二天，提歐帕大叫：「你看，高塔的門是打開的。」亞力跳起來，從房間衝出來。「是誰？竟敢偷我的鑰匙！」他發怒的說：「他在哪裡？」小老鼠指著高塔，聲音有些發抖的說：「他、他、他在裡面。」魔法師立刻衝向高塔，卻被門內一條拉緊的繩子給絆倒了。

提歐帕很快的把門關上，桑娜立刻把門鎖起來。亞力在裡面生氣得又叫又跳、用力的拍打著門。桑娜親親小老鼠，說：「謝謝你，祝你美夢成真。」「我的願望是可以做你的王子。」提歐帕害羞的說。桑娜輕輕的碰了一下小老鼠的鼻子，嗶鈴！提歐帕眨眼間變成了附近最帥的王子。一直到今天，桑娜和提歐帕都過著幸福快樂的日子。

現在你一定可以睡得很好，因為壞心的魔法師已經永遠被關起來了。

夏綠蒂過生日

夏綠蒂邀請她所有的朋友來慶祝她的生日。「我們會在城堡裡慶祝，就像真正的公主一樣過生日。」夏綠蒂非常期待。

在騎士大廳裡，孩子們坐在長長的桌子旁，夏綠蒂的爸爸把生日禮物推進來：是一輛腳踏車！「祝你生日快樂，夏綠蒂！」爸爸親了夏綠蒂一下。夏綠蒂高興的大叫說：「我要騎騎看！」她立刻騎著車出去了。

在城堡的護城河外，夏綠蒂聽見哇哇大叫的聲音，她很好奇，靠過去一看，有一個精靈蹲在那兒哭。「你為什麼這麼難過？」夏綠蒂問他。「我今天就要五百歲了，」精靈哭著說：「但是沒有人幫我慶祝生日，大家都很怕我。」眼淚從他雪白的臉上流下來。夏綠蒂想了想，在精靈的耳朵旁小聲的說了些話。

他們一起轉身，騎上腳踏車回到城堡。「我帶了一個會讓大家嚇一跳的客人。」夏綠蒂跟大家宣布。這時候，有人敲門，是一個騎士走進大廳。他走路搖搖晃晃的，大家都覺得很稀奇。當他開口唱生日快樂歌的時候，大家都笑了，沒有人害怕他了。

「我可以再來一塊蛋糕嗎？」精靈問。「當然可以！」大家異口同聲的回答，他們切了一塊櫻桃蛋糕給精靈。「穿上騎士服，真是一個好主意！」精靈小聲的跟夏綠蒂說。

「沒有人會孤單的自己過生日。」夏綠蒂笑著說：「親愛的精靈，祝你生日快樂。」

晚上，夏綠蒂開心的躺在床上，就像你現在一樣。晚安！

玩偶醫生

布里斯去幼兒園上學已經一個星期了，他很喜歡上學，特別喜歡依卡。依卡臉上有漂亮的雀斑，而且她還有一隻叫史多佛的可愛絨毛驢子。布里斯問依卡：「我們可以一起玩嗎？」依卡回答：「我才不跟男生一起玩！」布里斯聽了很傷心，也有一點生氣。

假如他可以得到史多佛，依卡就一定會跟他玩。他想從依卡的手中搶走驢子，但是依卡不給他。他很用力的拉著驢子的耳朵，依卡還是不放手。哇，布里斯的手上只剩下一個驢耳朵，可愛的絨毛驢子被扯壞了！

「你真的很過分！」伊卡大哭。其實布里斯一點都不希望事情變成這樣，他跑到他的背包那兒，拿出他的泰迪熊，遞給依卡，說：「對不起，我把我的泰迪熊賠給你。」依卡繼續哭著說：「可是我想要的是有耳朵的史多佛！」布里斯突然想起來：「你知道那座老城堡嗎？」依卡搖搖頭，「那裡住著一位玩偶醫生，」布里斯解釋著說：「他可以修好任何一個壞掉的玩具。」「真的嗎？」掛著眼淚的依卡問。「是啊！」布里斯說：「你看泰迪熊的肚子，有一次他肚子破了，玩偶醫生幫他把肚子縫起來。你把你的史多佛交給我，我明天再還你。你可以先拿著我的泰迪熊。」依卡有一些遲疑，但她還是答應了。

回到家以後，布里斯去找媽媽，把史多佛交給她。「你可以把依卡的驢子送到玩偶醫生那裡去嗎？」「是你做的嗎？」媽媽問。布里斯很不好意思的點點頭。「你已經道歉了嗎？」媽媽繼續問。「我已經道歉了。」布里斯回答。「這樣才乖。」媽媽摸著布里斯的頭說。

第二天，布里斯把依卡的驢子還給她。驢子的兩隻耳朵都已經縫上了。依卡歡呼的說：「謝謝你，我把你的泰迪熊還給你。」布里斯害羞的問：「你要跟我玩嗎？」

「我要看情況。」依卡說，她對里布斯眨了眨眼睛，笑了笑。

你的絨毛娃娃有沒有壞掉？還是該送到玩偶醫生那裡去？用力的抱緊他們，好好睡覺吧！

神祕皮箱

太陽高高掛在天空，小鳥高興的唱著歌。「真是美好的一天！」驢子心裡想，他決定出去散散步。

驢子來到湖邊，他看到水面上有一個黑黑的東西。他好奇的走進水裡，賣力的用牙齒咬住它，把它拉上岸邊。「原來是一個皮箱，」驢子說：「它看起來好神祕喔！」他用驢蹄踢踢箱子，拉開綁在皮箱上的帶子，但是箱子還是打不開。

過了一會兒，一隻小老鼠走過來，問：「這裡面到底是什麼啊？」「不知道，」驢子無奈的說：「我沒有鑰匙，沒辦法把皮箱打開。」「我有很尖的牙齒，」小老鼠說：「我可以把上面的帶子咬斷。」「太好了，」驢子說：「我可以把裡面的東西分一半給你！」

小老鼠努力的啃著皮箱上的帶子，終於，皮箱打開了。他們兩個好奇的往皮箱裡看，「是一個木琴耶！」小老鼠開心的說。「還有一個鼓！」驢子高興的叫起來。他們把樂器放在面前，小老鼠在木琴的琴鍵上跳來跳去，發出好聽的聲音；驢子打著鼓配合小老鼠。他們演奏出非常美妙的音樂，連小魚都從水裡探出頭來，鴨子也划到岸邊，一起聽這美好的合奏。

你也把眼睛閉起來，仔細聽聽驢子和小老鼠為你演奏的晚安曲。

可愛小鴨鴨

　　這是奈莉第一次可以自己帶著家裡的鑰匙，因為媽媽不在家，她要出門去買東西。「要好好帶著這把鑰匙，像個八歲的孩子那樣懂事喔！」媽媽告訴奈莉，她把鑰匙串在繩子上，好讓奈莉掛在脖子。

　　「你們看，我有什麼！」奈莉一到公園就大聲喊著。「我媽媽從來不給我拿我們家的鑰匙！」有一個小女孩說。奈莉神氣極了，她非常小心，連玩的時候都不忘記保護這把鑰匙。

　　到了中午，奈莉要回家了。她邊走邊把鑰匙鍊從脖子上拿下來，套在手上晃來晃去。就在奈莉走過湖邊的時候，天哪！鑰匙鍊從她的手上飛出去，掉進湖裡。湖底很深，而且髒兮兮的。奈莉的鑰匙不見了，「我該怎麼辦呢？」奈莉心裡好著急。

　　「我可以幫你嗎？」一個溫柔的聲音問。奈莉驚訝的看著一個飛在她面前的小仙子：「好啊，謝謝！我的鑰匙掉到湖裡去了。」奈莉解釋說。「可惜我不會游泳。」小仙子說。奈莉聽了非常難過，但是小仙子笑著說：「沒問題，因為我可以跟動物說話。」她唱：「呱呱呱呱呱呱呱，游來游去真可愛，母鴨帶小鴨。」奈莉張大了眼睛，看到一群鴨子游了過來，並且沉到湖裡，過了一會兒，一隻鴨子浮出水面，並且咬著奈莉的鑰匙圈。「謝謝你！」奈莉很高興的跟鴨子說。

　　她對小仙子說：「我也想學這首歌耶。」「好啊，我可以教你。」小仙子說完，他們就一起唱著這首歌，鴨子也在旁邊伴奏。這真是個快樂的結局。

　　現在趕快睡覺吧，這樣明天你才可以和你的朋友一起唱歌和玩遊戲。

陌生的小男孩

「小鬼，不要出現在這裡！」一個戴著鮮綠色頭盔的大男孩擋在尼克面前，粗魯的說。尼克只好調頭走開，他很想在腳踏車練習場試試他的越野車，但是現在，他只能到小森林裡去試車了。

他繞過彎彎曲曲的小樹叢，突然聽到有人生氣的說：「真是倒楣！」他在樹枝後面發現一個小精靈，正生氣的扯著他的披風。「你怎麼了？」尼克想知道發生什麼事。「我的披風被勾破了。」小精靈很生氣的指著披風上的兩個大洞，「這下子我沒辦法回到城堡去了，別人看到我這個樣子一定會笑壞的。」「這個簡單，我有好辦法。」尼克說。他從腳踏車上的小袋子裡拿出修理工具包，用裡面的膠布補好披風上的破洞。「這真是太棒了！」小精靈高興的說。

「你一個人在森林裡做什麼呢？」小精靈問尼克。「那邊有一個陌生的男孩不讓我去腳踏車練習場。」尼克很難過的說。「我來幫你解決這個問題。」小精靈對尼克眨眨眼說：「來！」

當他們走近練習場，小精靈躲在樹後面。戴綠頭盔的男孩騎著車要經過的時候，小精靈突然跳出來大叫：「嘩！」男孩嚇了一大跳，和車子一起滾了好幾圈。接著，小精靈威脅他說：「讓我的朋友在這裡騎車，不然，你還會遇到更可怕的事！」這個男孩馬上點頭答應。突然間，尼克覺得這個男孩一點都不巨大了。尼克高興的在練習場騎腳踏車了，這不是很棒嗎？

你今天跟誰一起玩呢？你現在也和尼克一樣累嗎？那好好睡一覺吧！

調皮鬼馬斯

　　小老鼠馬斯真是一個調皮鬼，城堡的規定他幾乎都不遵守；相反的，他的驢子朋友卡斯伯很清楚這些規定，知道在城堡裡應該做什麼事才對。卡斯伯常常為馬斯傷腦筋，卡斯伯常說：「在走廊上不要跑得那麼快！」或是：「等大家都拿到飯才能一起開動。」可是馬斯根本不理會，他把這些話都當成ㄌ耳邊風。

　　有一天，馬斯發現一支放在五斗櫃上的金鑰匙。「我要把它藏起來。」小老鼠決定。於是他把鑰匙帶到驢舍裡，藏在稻草堆下面。他根本想不到，這其實是皇后珠寶盒的鑰匙。

　　到了晚上，僕人打掃卡斯伯的家，發現了這把鑰匙。僕人馬上報告皇后：「驢子偷走了鑰匙。」「那我可要好好的處罰他。」皇后說。馬斯聽了很害怕，也覺得很不好意思，怎麼可以讓卡斯伯代替他受處罰呢？他一定要阻止這件事發生。於是，他從躲藏的地方跳出來，站在皇后面前說：「是我做的！不過，我只是想開個玩笑而已！」

　　「這可一點都不好玩！」皇后說：「我差點就做了錯誤的處罰。好，讓卡斯伯來決定，你還可不可以留在城堡裡。」馬斯發著抖對卡斯伯說：「真對不起！」卡斯伯很嚴肅的看著馬斯，說：「你可以答應我，從現在開始好好守規矩嗎？」馬斯點點頭。「好吧！」卡斯伯說：「那我就原諒你，因為每個人都會犯錯。」「謝謝你！」馬斯吱吱吱的說，並且抱住他的大朋友。

　　現在你也抱住你的被子朋友，快快睡覺吧！

提燈籠

　　明天是元宵節，幼兒園有提燈籠的遊行活動。瑪雅想要自己做一個燈籠。幼兒園老師告訴小朋友：「拿一張黑色的色紙，剪出星星和月亮形狀的洞，然後貼上半透明的玻璃紙。」老師幫瑪雅把色紙貼在一個圓形的起司盒上，在盒子底固定了小蠟燭。瑪雅得意的把燈籠提回家。

　　她真想馬上點亮燈籠，提它去逛逛。雖然她知道，這是不可以的，但她還是從廚房裡拿出一盒火柴，然後提著燈籠到公園去，點上蠟燭。哇，看起來真是漂亮！她提著燈籠搖來搖去，越搖越快，越搖越快。小心，瑪雅！但是已經來不及了。燈籠掉到地上，開始著起火來。瑪雅害怕的用雙手摀住嘴巴。幸好，好心的小仙子史黛拉看到了，她飛過來，把燃燒的燈籠扔進公園的湖裡，火馬上就熄滅了。

　　瑪雅哭得很大聲。「明天提燈籠遊行的時候，我要怎麼辦？我沒有燈籠了！」「等一下！」史黛拉揮動魔法棒，瑪雅的燈籠從湖裡飛了出來，像新的一樣。只是，裡面的蠟燭不見了。「我不希望你再玩火。」小仙子跟瑪雅解釋。「我保證，這次我一定會小心的。」瑪雅求著小仙子。小仙子搖搖頭說：「我有一個更好的主意，你可以得到一道魔法光線。」她再一次揮動她的魔法棒，有一截短短小小的光線從棒子的尖端落入燈籠裡。現在，燈籠的光比蠟燭還要亮了，瑪雅好高興喔！

　　快鑽進被窩吧，睡覺前瑪雅會幫你唱燈籠歌喔。

恐怖腳踏車

克瑞林最喜歡做兩件事：聽鬼故事和騎腳踏車。他現在的三輪車已經太小了，他向媽媽乞求：「媽媽，我想要一輛腳踏車。」媽媽嘆了一口氣說：「我們的錢還不夠買新的腳踏車。」當媽媽看到克瑞林失望的樣子，她說：「姐姐的舊腳踏車可以給你。」

這下子，克瑞林更失望了。他常常要穿姐姐比絲的舊牛仔褲，這已經夠慘了，現在竟然還要騎女生粉紅色的腳踏車，別人看到一定會笑他的。

幸好，還有爺爺在。「我們把這輛車小小改裝一下。」爺爺建議。一開始，他們先把腳踏車塗成黑色，這看起來就好多了。當油漆乾了之後，他們又在車架上貼了許多精靈貼紙，這些貼紙會在黑暗中發亮。最後，爺爺在車尾綁上一枝小旗桿，旗子上是精靈圖案，在風中飄來飄去。

「太棒了！」克瑞林歡呼著說：「現在我有一輛恐怖腳踏車了。」

「對呀！」爺爺說：「明天我們可以一起騎車到老城堡，說不定，還會碰到精靈喔。」

克瑞林很興奮，在睡覺的時候，還想著如何和爺爺一起去追精靈。

你今天晚上會夢到什麼呢？

為吉歐鼓掌

「太好了！太好了！」觀眾們歡呼鼓掌，小精靈吉歐卻嘆著氣說：「唉，我只能一再的又上又下、又上又下，好無趣啊！」吉歐是劇場裡的布幕，其實他很想站在舞臺上表演。「只要一次就好了。我真希望觀眾是為我一個人鼓掌。」他做著白日夢。

「吉歐，該你嘍！」劇場小老鼠艾哥提醒他，吉歐立刻很專業的降下布幕。表演結束了，觀眾都走了。當劇場空無一人的時候，艾哥問：「你怎麼了？你看起來悶悶不樂。」「我希望有一天我可以當個唱歌精靈，上臺表演。」吉歐告訴小老鼠。「那你為什麼不去應徵呢？」艾哥很好奇的問。

「我很害羞。」小精靈承認，「每一次我要在別人面前唱歌的時候，我都會突然忘了歌詞，而且不知道該怎麼辦才好。」「其實你只要多練習就好了，」艾哥鼓勵他，「上臺大家都會緊張，可是他們都可以克服的。」「那我現在該怎麼辦呢？」吉歐問。「你就先唱一小段給我聽吧！」小老鼠說。小精靈看了看，空空的舞臺上只剩下用木頭做成森林和月亮的布景。

「好吧，那我就試試看，」吉歐勇敢的說，「不試試看怎麼會知道呢？」對他來說，舞臺一下子突然變得好大。艾哥把舞臺的燈光打開，鎂光燈讓吉歐不再注意空空的觀眾席。他臉上發出光彩，像真的歌手一樣的唱起歌來，「你知道天上有多少星星……」吉歐有點口吃了。「繼續唱。」艾哥說。「星星……星星……我又忘了。」吉歐承認他又忘記歌詞了。「在藍色的天空……。」艾哥提醒吉歐。吉歐突然又想起歌詞，繼續唱：「你知道有多少雲會環遊世界呢？」

「誰的歌聲這麼好聽啊？」劇場老闆走了進來，仔細的聽著。他發現站在舞臺上的小精靈。「唱得真好聽！」老闆很高興的說：「你為什麼不一起參加演出呢？那一定會很棒。」

「我也這麼覺得！」吉歐深深鞠了一個躬。艾哥很高興的說：「你只要再勇敢一點就好了。」

吉歐的第一場表演就要開始了。吉歐非常緊張，很想逃走。但是，小老鼠對他眨了眨眼睛說：「如果你忘記歌詞，我會在旁邊提醒你的。加油！加油！」

吉歐走上舞臺，突然間，他不再在乎臺下的觀眾，只注意自己的聲音。他用優美清脆的聲音把〈你知道天上有多少星星〉這首歌從頭唱到尾，艾哥根本不需要幫他。「太好了！太好了！」觀眾熱烈鼓掌，這是吉歐第一次得到觀眾的掌聲。

　　現在，吉歐正躺在他的床上，想著他下一次的演出。

　　你一定也會夢到吉歐的。晚安！

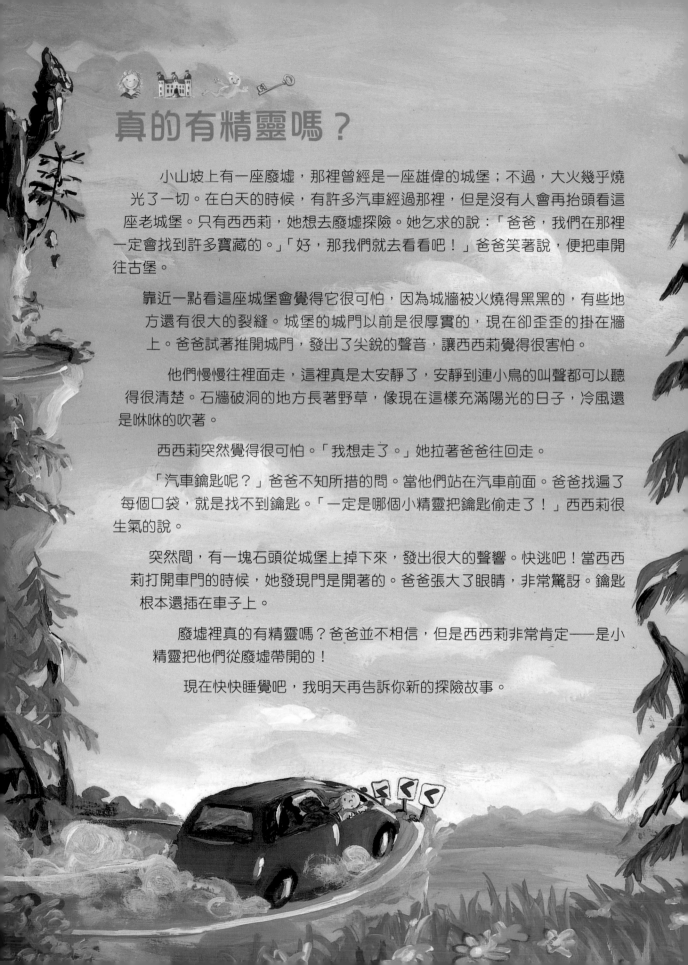

真的有精靈嗎？

　　小山坡上有一座廢墟，那裡曾經是一座雄偉的城堡；不過，大火幾乎燒光了一切。在白天的時候，有許多汽車經過那裡，但是沒有人會再抬頭看這座老城堡。只有西西莉，她想去廢墟探險。她乞求的說：「爸爸，我們在那裡一定會找到許多寶藏的。」「好，那我們就去看看吧！」爸爸笑著說，便把車開往古堡。

　　靠近一點看這座城堡會覺得它很可怕，因為城牆被火燒得黑黑的，有些地方還有很大的裂縫。城堡的城門以前是很厚實的，現在卻歪歪的掛在牆上。爸爸試著推開城門，發出了尖銳的聲音，讓西西莉覺得很害怕。

　　他們慢慢往裡面走，這裡真是太安靜了，安靜到連小鳥的叫聲都可以聽得很清楚。石牆破洞的地方長著野草，像現在這樣充滿陽光的日子，冷風還是咻咻的吹著。

　　西西莉突然覺得很可怕。「我想走了。」她拉著爸爸往回走。

　　「汽車鑰匙呢？」爸爸不知所措的問。當他們站在汽車前面。爸爸找遍了每個口袋，就是找不到鑰匙。「一定是哪個小精靈把鑰匙偷走了！」西西莉很生氣的說。

　　突然間，有一塊石頭從城堡上掉下來，發出很大的聲響。快逃吧！當西西莉打開車門的時候，她發現門是開著的。爸爸張大了眼睛，非常驚訝。鑰匙根本還插在車子上。

　　廢墟裡真的有精靈嗎？爸爸並不相信，但是西西莉非常肯定——是小精靈把他們從廢墟帶開的！

　　現在快快睡覺吧，我明天再告訴你新的探險故事。

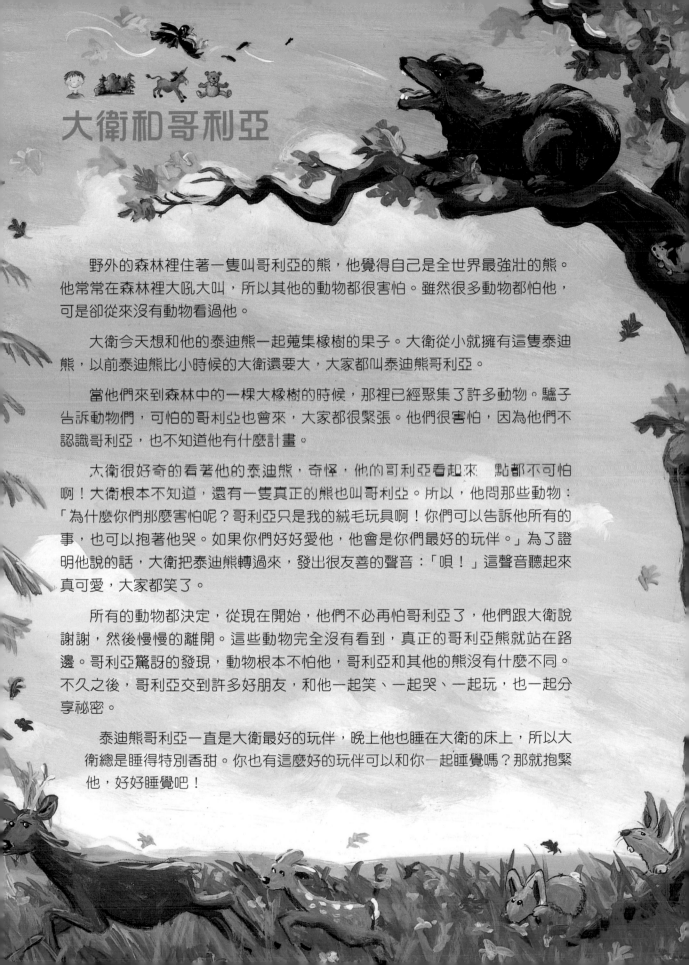

大衛和哥利亞

　　野外的森林裡住著一隻叫哥利亞的熊，他覺得自己是全世界最強壯的熊。他常常在森林裡大吼大叫，所以其他的動物都很害怕。雖然很多動物都怕他，可是卻從來沒有動物看過他。

　　大衛今天想和他的泰迪熊一起蒐集橡樹的果子。大衛從小就擁有這隻泰迪熊，以前泰迪熊比小時候的大衛還要大，大家都叫泰迪熊哥利亞。

　　當他們來到森林中的一棵大橡樹的時候，那裡已經聚集了許多動物。驢子告訴動物們，可怕的哥利亞也會來，大家都很緊張。他們很害怕，因為他們不認識哥利亞，也不知道他有什麼計畫。

　　大衛很好奇的看著他的泰迪熊，奇怪，他的哥利亞看起來一點都不可怕啊！大衛根本不知道，還有一隻真正的熊也叫哥利亞。所以，他問那些動物：「為什麼你們那麼害怕呢？哥利亞只是我的絨毛玩具啊！你們可以告訴他所有的事，也可以抱著他哭。如果你們好好愛他，他會是你們最好的玩伴。」為了證明他說的話，大衛把泰迪熊轉過來，發出很友善的聲音：「唄！」這聲音聽起來真可愛，大家都笑了。

　　所有的動物都決定，從現在開始，他們不必再怕哥利亞了，他們跟大衛說謝謝，然後慢慢的離開。這些動物完全沒有看到，真正的哥利亞熊就站在路邊。哥利亞驚訝的發現，動物根本不怕他，哥利亞和其他的熊沒有什麼不同。不久之後，哥利亞交到許多好朋友，和他一起笑、一起哭、一起玩，也一起分享祕密。

　　泰迪熊哥利亞一直是大衛最好的玩伴，晚上他也睡在大衛的床上，所以大衛總是睡得特別香甜。你也有這麼好的玩伴可以和你一起睡覺嗎？那就抱緊他，好好睡覺吧！

馬艾勒拯救城堡

　　馬艾勒是一隻小老鼠，他什麼都不怕。他和他的家人一起住在森林的城堡裡。很多人會去參觀這座城堡，因為以前有一位有名的國王就住在這裡。

　　城堡裡還另外住著一個小精靈，他的名字叫艾哥。有時候，他會在晚上出來嚇嚇人，但他最喜歡的是嚇唬來參觀城堡的遊客。艾哥都還沒有完全出現，只不過是扮了一點鬼臉，遊客就已經嚇得尖叫逃走了。所以，很快就有人開始傳說，這座城堡裡鬧鬼。漸漸的，再沒有人敢去城堡參觀了。

　　城堡的管理員收不到門票錢，也就沒辦法修理城堡屋頂上的破洞。「我能做什麼呢？我能做什麼呢？」城堡管理員抱怨的說。這件事讓小老鼠決定去找艾哥，艾哥正開心的住在閣樓裡。

　　「你為什麼要這樣呢？」小老鼠問艾哥：「為什麼你要把遊客都嚇跑呢？如果再沒有遊客來城堡，我們的屋頂就會塌下來，你也會很無聊的！」艾哥知道小老鼠說得沒錯。

　　那現在該怎麼辦呢？閣樓裡停著一輛舊的腳踏車，「你會騎腳踏車嗎？」小老鼠馬艾勒問小精靈。「當然嘍！」艾哥神氣的說。馬艾勒有個主意：「你要不要試試看，騎在腳踏車上表演特技，這種表演一定從來沒有人看過！」艾哥聽了很興奮，這個表演真的可以吸引遊客回到城堡。每個人都會想來看精靈在城牆上騎腳踏車，大家也不再害怕小精靈了。

　　現在你一定可以睡個好覺，你可能也會夢到小精靈在騎腳踏車喔！

希伯利需要幫忙

　　克拉柏城堡因為鬧鬼出名，有越來越多好奇的遊客想來看看。「難道我不能休息一下嗎？」小精靈希伯利抱怨的說：「我沒辦法自己一個人做這麼多事。」「那你想要做什麼呢？」城堡管理員的女兒雅娜想知道。「我需要一個助手。」希伯利想了想說。「還是，你需要的是一個女助手？」雅娜充滿期待的問。小精靈搖著頭說：「我覺得精靈班長不會同意的，你實在太小了。」

　　希伯利在精靈報紙上刊登廣告找助手，不過，來應徵的精靈一看到遊客那麼多，就非常害怕。「這個工作量實在太大了！」他們說完後就離開了。

　　雅娜真的想幫助她的朋友。「精靈班長什麼時候會來呢？」雅娜問。「明天，當月亮升到天空的時候。」希伯利說。晚上，當精靈班長來到塔樓的時候，一個巨大的精靈向她飄過來。「哇！」他嚇了一跳。他從來沒看過這麼大的精靈呢！「我可不可選他當助手呢？」希伯利問。精靈班長點點頭，他連一句話都沒說就快速離開了。

　　希伯利拿走蓋在雅娜身上的白床單，原來雅娜站在一個高蹺上。「終於有人可以幫我了！」希伯利高興的說。這時候，雅娜已經等不及要和小精靈一起來嚇唬遊客了。

　　你也和下班後的希伯利一樣累嗎？那麼好好睡一覺吧！

噴火龍

提姆是一個特別的男孩，他是國王的騎士。他的工作很神祕，他和他的泰迪熊藍佐要一起對抗狡猾的壞騎士和可怕的怪獸。

有一個晚上，出現了一個小仙子，她坐在床上哭，因為噴火龍把她的貝拉阿姨關到城堡的地牢裡。「地牢被一道很重的門鎖住，」小仙子哭著說，「我的魔法太弱，沒辦法把門打開。」

只有在晚上才有機會攻擊噴火龍，因為噴火龍在晚上沒辦法噴火。噴火龍每天早上點一把火，然後把火吞下去，所以整個白天他都會噴出大大的火焰，非常可怕。

沒問題，神祕騎士提姆已經準備出發了。他帶了他的木劍和他的泰迪熊一起上路了。當提姆來到城堡，他用力打壞上鎖的城門，衝進城堡裡去。

噴火龍被喧鬧聲吵醒了，他衝到壁爐前，拿起一根火柴，想趕快點著救命的火，然後吞下去。火才剛點燃，提姆已經跳到壁爐前把火吹熄了。噴火龍氣得邊叫邊向提姆噴火，但是，他只噴出一點點黑煙。不會吧！噴火龍現在一點都不可怕了。提姆拿走噴火龍手上的火柴，泰迪熊藍佐跳上他的肚子，搔他的癢。藍佐一直呵他癢，直到噴火龍笑著求饒，答應把貝拉阿姨放出來。

「只要噴火龍手上沒有火柴，他就一點都不厲害了。」提姆解釋。現在，提姆還有一個願望——就是睡覺。小仙子變出一個軟綿綿、溫暖的小床。提姆躺上去，把藍佐抱在手上，馬上就睡著了。你覺得提姆會夢到什麼呢？

你是不是也會跟他做一樣的夢呢？

小老鼠和兔子

　　小老鼠和兔子是最好的朋友，他們時常在一起玩，也常一起過夜。

　　有一天，他們決定一起去散步。他們在籃子裡放了紅蘿蔔和一些核桃，然後就出發了。他們一直聊天，聊著聊著，不知不覺已經走到森林的深處。因為實在走了太多路，他們的腳很痛，而且很疲倦。「我們有辦法找到回家的路嗎？」小老鼠坐在毬果上噘著嘴說。兔子建議先吃點東西，好讓自己有力氣可以走回家。

　　當小老鼠咬著核桃的時候，有一個小東西站在他們面前。她穿著破舊的衣服，張著大眼睛盯著他們的食物。「我們可以和她分享我們的食物。」兔子說，小老鼠也點點頭。他們把一半的食物分給她吃，這個可憐的小東西狼吞虎嚥的吃著。

　　她吃飽之後，充滿感謝的微笑著。「因為你們很慷慨大方，我決定要送給你們一個禮物！」這個小東西拿出一支魔法棒，將自己變成了一個漂亮的小仙子。

　　「看你們這麼累，我來帶你們回家吧！」小仙子說著，把他們兩個放在手上，帶著他們飛到天空。當他們飛回家裡的時候，這兩個好朋友已經在小仙子的手上睡著了。

　　小仙子輕輕的撫摸他們，小心的把他們放回床上，在他們身上灑下一點美夢亮片，然後就往有著銀色月光的夜空飛去了。

　　小仙子一定也在你身上灑下了美夢亮片！祝你有個好夢！

馬戲團老闆泰迪熊

有一天，雷娜的老泰迪熊尼克決定成立一個馬戲團。他戴上高高的禮帽，準備馬戲團開張的事。他想，馬戲團一定需要能表演的馬！他找來找去，卻只在湖邊的草地上，看到一隻正在吃草的驢子約克。

「唉呀，在這個緊急的情況下，只好……」尼克一邊想，一邊走向驢子。

「你聽著，約克，」尼克縮了縮他的肚子，說：「我是個很有名的馬戲團老闆，現在我命令你成為我馬戲團裡的馬。」約克瞪大了眼睛，驚訝的看著這隻泰迪熊。馬戲團的馬是很高貴的，而他那麼卑微，這是不可能的。「我們兩個都會變得很有名的！」為了吸引驢子加入，尼克故意這麼說。

但事實上，如果以後他們真的成名了，尼克並不想和驢子分享這個榮譽。約克知道，尼克只有想到自己，所以他決定給尼克一點教訓。「騎上來吧！」他告訴尼克：「我懂一點特技表演。」

「全世界最有名的馬戲團老闆來嘍！」尼克喊著說，但是他幾乎沒有辦法坐在驢背上，因為約克實在跑得太快。「停下來！約克，停下來！」泰迪熊尼克大叫。約克完全不想理會，他越跑越快，一直跑到湖邊，然後衝進水裡。「小心啊！」約克大聲叫，他甩了甩身體，泰迪熊就被甩進湖裡去了。

「你看，你現在是最有名的馬戲團老闆，不是嗎？」約克笑著問。尼克一句話也不說了，他再也不會在朋友面前吹牛了。

約克把尼克從水裡拉出來，送他回雷娜的家。當雷娜看到她的小熊全身溼透，傷心的說：「我可憐的泰迪熊。」雷娜很快的把泰迪熊擦乾，給他準備一杯加了蜂蜜的熱牛奶。然後，讓他躺在軟綿綿的床上。幾秒鐘之後，尼克就進入夢鄉了。

你也躺在床上睡個好覺。可能你會夢到好玩的馬戲團故事喔！

莫利茲和瓶中信

「今天傍晚要準時回家喔！」媽媽在後面大叫，但小男孩莫利茲已經騎著腳踏車消失在牆角後面了，他急著趕去湖邊，想試一試他的小船。就在他準備把船放下水的時候，在岸邊看到一個插在沙子裡的玻璃瓶。瓶口被軟木塞封住了，看起來髒兮兮的。

「這可能是一個瓶中信喔。」莫利茲心裡想。他把蓋子打開，瓶子突然發出嘶嘶的聲音，冒出了白煙，接著，從瓶口飛出一個精靈。精靈低頭看著莫利茲，「很久以前，有一個魔法師把我關在瓶子裡，」他說，「因為你把我救了出來，你可以當我的主人一天。」

莫利茲當然馬上想了一大堆願望：吹一個氣墊；讓他的船可以航行到對岸；變出一把太陽傘來；或者，讓小魚從水裡跳出來。

過了一會兒，湖邊又來了許多小孩子，他們好奇的看著小男孩和他的精靈。莫利茲上個星期才搬來這裡，他一個朋友都沒有，不過，他還是邀請其他孩子和精靈一起在樹上飛來飛去，或在湖面上行走。不管莫利茲有什麼新願望，精靈都一一為他實現。

到了晚上，莫利茲得回家了。精靈跟孩子們說再見，飛回他自己的家，那是在萊茵河畔一個荒廢的老古堡。

莫利茲現在是世界上最幸福的男孩子了，他一下子就有了十個新朋友。他們已經約好明天一起打球，莫利茲等不及要立刻上床睡覺，這樣，第二天才會快快來到。

你明天要做什麼呢？在夢裡找找吧！

動物大掃除

很久很久以前，國王家族就已經帶著所有家裡的東西搬離這座城堡，但是泰迪熊卻被遺忘在這裡。他不是很在乎，因為他的好朋友小老鼠也住在城堡中；另外還有一隻驢子也在這裡住了下來，他們三個在城堡裡過得幸福又快樂。

他們三個一起分擔每天要做的工作：小老鼠負責找吃的；驢子專門整理睡覺的地方；泰迪熊的工作是擦灰塵。

不過，泰迪熊今天心情不好，他說：「我老是要打掃，真的很煩耶！」驢子也點著頭說：「我要一直整理床鋪，我再也受不了了！」「那我們來交換工作吧！」小老鼠提出建議。

所以，現在由驢子出去找食物。不過，這可不是簡單的事情，他不像小老鼠可以在別人不注意的時候，在田間跳來跳去，嘗嘗穀子的味道，或是偷拔幾根紅蘿蔔。農夫一下就發現驢子，他大叫：「小偷，走開！」

泰迪熊也好不到哪裡去。對他來說，他們睡覺的稻草堆太重了，他根本沒辦法像驢子一樣推動它們，並且把上面的髒東西抖掉。至於小老鼠呢？他整天不斷的打噴涕，因為灰塵把他的鼻子弄得好癢。

晚上的時候，他們三個平分了剩下的蔬菜葉子當晚餐，然後累得躺在硬梆梆的稻草堆上。「哈啾！」小老鼠打著噴嚏說：「明天還是讓我去找吃的吧，你們同意嗎？」驢子也說：「試試新鮮的工作是滿有趣的，但是我最喜歡的工作還是鋪床。」泰迪熊也接著說：「沒有人什麼事都會做！」

「晚安了！」小老鼠說。「睡個好覺吧！」泰迪和驢子也祝福小老鼠。當然，他們也祝你有個好夢！

誰喜歡佛羅安？

　　小驢子佛羅安坐在玩具店最裡面的架子上。自從他被放在那裡，月亮不知道已經升起、落下多少次了。他已經不想再數日子了，他的毛也漸漸沾滿了灰塵。

　　「再見，玩具店管理員！」有玩具在嘲笑他。佛羅安知道是誰，就是那個醜巴巴的音樂盒。盒子正面畫著森林，打開蓋子，會有一隻小鹿轉啊轉，音樂盒會發出快樂的旋律。他正被包在彩色的包裝紙中，將成為一位小孩的禮物。

　　「我也好想要有喜歡我的小主人。」佛羅安小聲的抱怨著，兩隻大耳朵難過的垂下來。忽然，他有一個計畫，不過，這需要勇氣才能實現。

　　當海蒂奶奶和孫女尤拉經過的時候，小驢子故意從架子上掉下來。碰一聲，剛好就掉在奶奶的袋子裡。海蒂奶奶準備離開商店時，「嗶嗶！」警鈴大響。「請等一下，」店員說：「您還沒付驢子的錢！」

　　「可是我不並想買這隻驢子啊！」奶奶驚訝的說。但是尤拉很快就喜歡上這隻驢子。「奶奶，你看，驢子的耳朵好長、好可愛喔！」她摸著佛羅安大聲的說，「拜託，拜託，送給我好嗎？」「乖孩子，誰捨得說不可以呢？」海蒂奶奶和藹的打開錢包，拿出錢買下了佛羅安。佛羅安興奮得容光煥發，緊緊靠著小女孩。他的勇氣讓他實現了願望，現在，他終於有個喜歡他的小主人了。

　　你的絨毛玩具一定也很高興，因為有你當他們的小主人。晚安，好好睡吧！

大哥哥

　　丹尼很喜歡他的泰迪熊優可，到那兒都帶著他。他的哥哥菲利說：「像你這個年紀的男生，怎麼還玩泰迪熊呢？真丟臉！」「為什麼不行？」丹尼說：「只要我喜歡，我就要一直和泰迪熊玩！」

　　有一天，他們全家去湖邊郊遊。當菲利看到丹尼的背包裡帶著優可，他的眼睛幾乎要掉出來了。一定要結束這種幼稚的行為！菲利下定決心，把小熊一把抓起，衝到湖邊。「不要！」丹尼大聲叫，跟在哥哥後面跑。

　　但是太遲了，他眼睜睜看著菲利把他的泰迪熊拋得又高又遠，然後掉進湖裡。爸爸媽媽把菲利大罵一頓，但是已經來不及了，丹尼只能難過的看著湖水。

　　看到弟弟這麼傷心，菲利發現自己真的做錯了。「我來幫你一起找吧！」他大聲的說。不過，不管他們怎麼找，還是不見優可的蹤影。

　　太陽漸漸下山了，爸爸媽媽說：「走吧，我們要回家了！」兩個小男孩難過的再看湖泊一眼。突然間，湖水在動，真是令人不敢相信，優可竟然浮上來了！丹尼和菲利衝到湖邊，發現有個水仙子正把優可拉上岸。丹尼緊緊抱住優可，高興的說：「謝謝你，小仙子！」

　　在車上，媽媽好奇的問：「你們是怎麼找到優可的呢？」「你們一定想不到的！」菲利說：「是一個小仙子把它帶回來的！」「菲利啊，」爸爸笑著說，「像你這個年紀的男生應該不會相信小仙子這種東西吧？」

　　真的有小仙子喔，他可以給你帶來好夢！晚安！

誰怕史馬哥？

小仙子樂蒂住在一座美麗的城堡。現在正是寒冬，城堡外颱著大風雪，而房間裡也冷得不得了。「這下好了，沒有人會來找我玩了！」樂蒂一邊跟她的小老鼠管家威利抱怨，一邊難過的從窗戶往外看。

這時候，噴火龍史馬哥飛了過來。大雪遮住了他的視線，等他看見城堡就在眼前的時候已經太晚了，他已經直接撞上城牆，連牆上的水泥都被撞掉一大塊。「這種大風雪天，我怎麼去修理撞壞的城牆呢？」威利生氣的說著。樂蒂馬上把窗戶打開，讓噴火龍爬進來。

「真對不起！」史馬哥一直道歉，手摸著頭上撞出來的腫包。「這麼冷的天氣，你是沒辦法再往前飛了。」樂蒂同情的說，把冰敷袋放在他頭上。啊！真是舒服。

當他看到小仙子因為衣服穿太少而冷得發抖，他大喊了一聲：「哈！」一團火球從他的嘴裡噴出，把壁爐的火燒得又紅又旺，城堡大廳馬上變得非常溫暖舒適。大家舒服的擠在沙發上，連威利都不生氣了。

到了傍晚，整個城堡已經被大雪覆蓋了，只有高高的塔樓孤單的露在白雪的外面。「這下好了，我要鏟雪鏟到明年春天了。」小管家抱怨著說。「這有什麼問題呢？」史馬哥笑了笑，又大喊：「哈！哈！」他嘴裡噴出了大火，一下子就把所有的雪都融化了，在城堡前面形成一個大水坑。

「你想留下來嗎？」小仙子問他。史馬哥高興的回答：「好啊，別人都怕我，只有你不會！」威利也歡呼的說：「耶！這樣我整個冬天都不用鏟雪了！」

第二天，大水坑結成冰。威利拿出城堡的大鑰匙，打開城門。樂蒂、威利和史馬哥就在城堡前玩著溜冰遊戲。

好，現在鑽到你溫暖的被窩吧，晚安了！

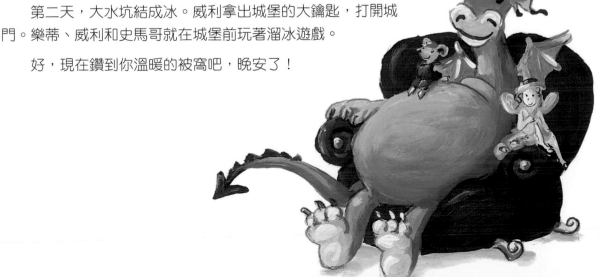

魔鏡

　　安琪公主是全國最美麗的女孩子，她有一頭長長的金髮，和深藍色的眼睛。壞巫婆史瓦拉也知道這件事，她特別去城堡拜訪公主，她說：「我帶來一面鏡子，讓你好好欣賞自己美麗的樣子。」

　　但是沒有人知道，這並不是普通的鏡子，而是一面魔鏡。只要往鏡子裡一看，就會變成前一個照鏡子的人或東西。壞巫婆在把鏡子帶來給安琪公主之前，先把鏡子拿去照了一隻驢子。

　　當安琪照鏡子的時候，她發現自己頭髮的顏色越來越灰白，而且變得亂七八糟，最後，竟然變成一隻驢子！「咿呀！」這個聲音讓變成驢子的安琪非常害怕，因為除了這個聲音，她什麼話也說不出來。

　　壞巫婆高興的笑著，換成自己照鏡子。咻的一聲，她變成美麗的公主。接著，她叫僕人把驢子帶到驢舍去。

　　現在，所有的僕人都只聽假公主的命令，因為他們根本不知道這個巫婆騙子做的壞事。驢子不停的大叫：「咿呀！咿呀！」但是沒有人知道牠想要說什麼。

　　到了下一個月圓的晚上，月光穿過驢舍的窗戶。月亮非常同情可憐的安琪，他說：「在我還有月光的時候，可以讓魔法的力量變小。可是，你一定要在太陽出來之前把鏡子打破；不然，你又會變回驢子。」「謝謝你，親愛的月亮。」安琪對月亮說。

　　安琪很快的踢開驢舍的門，跑進城堡，溜到臥室裡。變成公主的壞巫婆還在呼呼大睡。安琪悄悄的把窗簾拉開，讓月光照進來。當月光照在巫婆史瓦拉的鼻尖時，她立刻就變回原來的巫婆。

　　但是，魔鏡在哪裡呢？安琪找遍櫃子和抽屜，就是找不到鏡子。就在她快要放棄的時候，她看了看正在打呼的壞巫婆，就在那兒——在她的枕頭底下有東西閃閃發亮。對！就是那面鏡子！

　　安琪用發抖的手把鏡子抽出來，真是太緊張了！壞巫婆張開眼睛，迷迷糊糊的看著月光。現在，安琪的動作要快一點了。她用力的把鏡子砸在地上，啪啦一聲，鏡子破成千百個小碎片。

「你看你做了什麼事？」史瓦拉尖叫。但是，不管她怎麼吵，怎麼罵，都已經太遲了，她的魔法被破解了。公主叫來警衛，把壞巫婆送到黑暗的地牢。

不過，安琪還有一件擔心的事。她跑到窗前，打開窗戶，「你也可以把驢子變回原來的樣子嗎？」她請求月亮。月亮眨了眨眼睛，親切的說：「你早就做到了啊！他現在正在草原上開心的吃著草呢！」安琪幸福的跟月亮揮揮手，然後鑽回她舒服的床上。

晚安，小公主！晚安，我的孩子！

作者｜ 史黛菲・卡曼麥爾（Steffi Kammermeier）

　　1959 年生於德國慕尼黑，至今仍居住在這個城市。曾修習醫技助理課程，大學主修電視電影。目前是導演、劇作家，也拍攝紀錄片。1995 年開始在巴伐利亞廣播電臺（Bayerische Rundfunk）擔任編輯。她執導的電影曾多次獲獎，如德國電影獎（1988），《Rights of a child award》影片在 1988 年芝加哥兒童影展中獲獎。

　　《漢馬吃了什麼》（Was Hamma gessen）是她寫給大人看的第一本書；《晚安故事摩天輪 1：108 個晚安故事》是史黛菲第一本為孩子寫的書。

繪者｜ 安娜・卡瑞娜・比肯史多克（Anna Karina Birkenstock）

　　1975 年生於德國索林根。1995 年高中會考後，在科隆擔任自由攝影師的攝影助理，也參加媒體影像聲音製作的課程培訓。之後在卡斯魯的大學主修媒體藝術。目前是網頁設計，也是作家和插畫家。出版數本繪本作品，也為幼兒讀物畫插畫。

譯者｜ 林珍良

　　政治大學新聞研究所新聞學碩士，曾為報社記者，現任德國慕尼黑國際學校（MIS）中文教師，翻譯著作：《晚安故事摩天輪 2：108 個夢想故事》《歐洲咖啡屋》《SWATCH 先生：鐘錶大王海耶克的創意與成功》等。

國家圖書館出版品預行編目 (CIP) 資料

晚安故事摩天輪：108 個晚安故事／史黛菲．卡曼麥爾 (Steffi Kammermeier)、米雪艾拉．魯道夫 (Michaela Rudolph)；安娜．卡瑞娜．比肯史多克 (Anna Karina Birkenstock) 圖；林珍良譯．-- 第二版．-- 臺北市：親子天下股份有限公司，2022.09

124 面；25.5 × 19 公分

譯自：Bitte noch eine！Wunschgeschichten zur Guten Nacht ISBN 978-626-305-284-0（精裝）

1.SHTB: 圖畫故事書 --3-6 歲幼兒讀物

875.596　　　　　　　　　111011061

晚安故事摩天輪 1
108 個晚安故事

作者｜史黛菲‧卡曼麥爾、米雪艾拉‧魯道夫（Steffi Kammermeier）
繪者｜安娜‧卡瑞娜‧比肯史多克（Anna Karina Birkenstock）
譯者｜林珍良
責任編輯｜謝宗穎、蔡珮瑤
文字校對｜陳韻如

美術設計｜侯貞如
行銷企劃｜葉怡伶

天下雜誌創辦人｜殷允芃
董事長兼執行長｜何琦瑜

兒童產品事業群
副總經理｜林彥傑
總編輯｜林欣靜
主編｜陳毓書
版權主任｜何晨瑋、黃微真

出版者｜親子天下股份有限公司
地址｜臺北市 104 建國北路一段 96 號 4 樓
電話｜（02）2509-2800　傳真｜（02）2509-2462
網址｜www.parenting.com.tw
讀者服務專線｜（02）2662-0332　週一～週五：09:00-17:30
傳真｜（02）2662-6048
客服信箱｜parenting@cw.com.tw
法律顧問｜台英國際商務法律事務所‧羅明通律師
製版印刷｜中原造像股份有限公司
總經銷｜大和圖書有限公司 電話：（02）8990-2588

出版日期｜2013 年 8 月第一版第一次印行
　　　　　2022 年 9 月第二版第一次印行
定價｜599 元
書號｜BKKTA040P
ISBN｜978-626-305-284-0（精裝）

訂購服務 ————————
親子天下 Shopping｜shopping.parenting.com.tw
海外‧大量訂購｜parenting@cw.com.tw
書香花園｜臺北市建國北路二段 6 巷 11 號　電話（02）2506-1635
劃撥帳號｜50331356　親子天下股份有限公司

立即購買 >